岩　波　現　代　文　庫

我々はどのような生き物なのか

言語と政治をめぐる二講演

ノーム・チョムスキー
Noam Chomsky

福井直樹・辻子美保子［編訳］

学術 465

岩波書店

TWO LECTURES IN SOPHIA UNIVERSITY

by Noam Chomsky

First Japanese edition published 2015,
this paperback edition published 2023
by Iwanami Shoten, Publishers, Tokyo
by arrangement with Noam Chomsky
c/o Roam Agency, Brooklyn, N.Y.
through The English Agency (Japan) Ltd., Tokyo.

目　次

〔　〕内は編訳者による補足

ソフィア・レクチャーズ　第1講演

二〇一四年三月五日

ノーム・チョムスキー教授紹介（福井直樹）

こんにちは、福井直樹と言います。上智大学で言語学を教えています。今回、本学でノーム・チョムスキー教授に連続講演を行なっていただくことをたいへん光栄に思うと同時に、大きな期待に胸が高鳴っています。実は、チョムスキー教授がこの大学に来るのはこれが最初ではありません。チョムスキー氏が初めてここに来られたのは一九八七年のことでした。一九八七年の一月だったと思います。その頃、僕はＭＩＴ（マサチューセッツ工科大学）認知科学センターのポスドク（博士研究員）だったので、そのイベントを局外者として地球の裏側から見ていました。今回は、内側からこのイベントを眺めることになり、ものごとが色々と違って見えてきて興味深いものがあります。

それはともかく、ノーム・チョムスキー教授を五分程度で紹介する役目を仰せつかっているのですが、実のところ、チョムスキー氏を紹介することは不必要でもあり不可能でもあります。不必要であるというのは、誰でもチョムスキー氏のことは知っているからです。そして、不可能であるというのは、チョムスキー氏があまりに多くの著作をあまりに多様な分野で書いているため、彼の著作のうちの本当に主要なものに限って話をしようとしても、一時間以上使うことになってしまうのは明らかだからです。したがって、それは不可能です。少なくとも、五分程度では不可能です(会場笑い)。ですから、ここではチョムスキー氏について既にあちこちで語られてきたことをいくつか繰り返すことに留めておくことにします。例えば、ノーム・チョムスキーは「心の科学におけるガリレオ」であるといった類いのものです。これは正しい評価だと思います。心の科学に対してチョムスキー氏が成し遂げたことは、ガリレオが物理科学(自然科学)の発展に対して行なったことに、まさに匹敵するものです。チョムスキー教授は、我々の分野は未だガリレオの時代以前の段階にあるとして、こういった評価には同意しないかもしれませんが、でもこれは正しい評価であると僕は思います。チョムスキー氏は言語学に革命を起こしたのです。つまり、厳密で精確ではあるものの分類学的で記述的だった言語学という学問を、人間の心に関する真の科学へと転換させたのです。生物言語学と(後に)呼ばれる視座を導入することによって、一九五〇年代の認知革命において、言語学は決定的に重要な役割を果たすことになりました。チョムスキー教授が科学において成し遂げたことは、もしこの分野にノーベル賞が授与されるとしたら、少なくともノーベル賞三つか四つに値するであろうとよく言われています。したがって、一九八八年に基礎科学の分野で京都賞を受賞されたことも何ら驚くべきことではありません。

そして、チョムスキー教授が、人間の自由、人権、人間の尊厳、そして世界の人々の解放に対して生涯をかけて取り組んでいる活動についても述べておくべきでしょう。こういった活動は、彼の人間としての在り方の重要な側面なのです。チョムスキー氏は、一九六〇年代のベトナム反戦運動に深く関わり、それ以来ずっと、まさに献身的とも言える形で、人間の自由と尊厳のために粘り強く闘ってきました。知識人としてのチョムスキー氏の在り方のこの重要な側面については、明日の講演で詳細に論じられることでしょう。

チョムスキー教授が成し遂げた学問上の、あるいは政治・社会運動の中での諸々の偉業をずっと挙げ連ねていくことは簡単なことですが、ここではあまり意味がないでしょう。一つだけ言いますと、チョムスキー教授は歴史上最も被引用件数の多い著者の一人で、プラトン、アリストテレス、キケロ、マルクス、フロイトなどといった人物や、聖書にまでその被引用件数が匹敵するほどなのです。現存している人物の中では最も多く引用されている著者です。しかしここで問題は、どのようにチョムスキー氏の著作が引用されてきたかということです。もちろん彼の著作は、読者の側における知的興奮や深い共感、深い理解をもって引用されてきています。しかしその一方で、ひどい誤解や不正確な理解、時には強い敵意をもって引用されてもきました。彼の著作は常に刺激的であり議論を巻き起こすのです。それにしても、この世界がもう少し理性的ならば、そして言語学という分野がもう少し(物理学のように)進んだ分野であったならば、チョムスキー氏の著作がこんなにも議論を巻き起こすようなことはなかったはずです。彼の著作が今でも議論の的となっているという事実は、私たちが住むこの世界に何かひどいことが起こっているということを告げると共に、言語や心の研究に関わる分野において何か奇妙な考え方――しばしば方法論的二元論と呼ばれるドグマ(教義)――が未だ支配的であることを示しているのです。

チョムスキー教授が長年所属してきたMITを二〇〇二年に正式に退職した時に、(MITの学報である)『テクノロジー・レビュー』が、ノーム・チョムスキー氏のことを「苛烈なる革命家」と称し、この題を冠した特集記事を公刊しました。これもまた正しい評価だと思います。チョムスキー教授は、斯界の退屈な権威となることを拒否し、科学においてであれ政治社会的な場においてであれ、彼が知的探究を通して真理を追求しようとするあらゆる領域において、苛烈で理性的で、かつ心優しい革命家であり続けているのです。

それでは、みなさんが彼の言うことを気に入るかどうかはわかりませんが(会場笑い)、『ニューヨーク・タイムズ』紙によれば、「現存する知識人の中でおそらく最も重要な人物」、ノーム・チョムスキー氏にお話しいただきます。(盛大な拍手)

言語の構成原理再考

ナオキ(福井直樹)が言及し忘れたことがあります。私が二七年前にここに来た時、彼はMITにいました。私は日本での講義で日本語の例を使いたいと思っていたので、ひどい間違いをしないように、来日する前に、日本語の例が正しいかどうか彼にまず見てもらったのです。その例のうちのいくつかは極めてその判断が微妙で、おそらく日本の聴衆には理解してもらえないだろうと彼が言うので、結局、講義では簡単な例だけを使うことにしました(会場笑い)。

さて、今回の連続講演で私が取り扱いたい全般的な問題は、「我々はどのような生き物なのか」という、とても古くからある問題です。この問題に対する満足のいく答えを得るまでの道のりが、はるかに遠いことは確かですが、少なくともある領域、特に我々の認知的本性に関する領域においては、興味深く重要な洞察があるように思われます。

今日はこれらの領域の一つである人間言語に限って話をすることにし、言語の構成原理の問題に対する注意深い研究がどのようにして広範囲に亘る結論をもたらすのかとい

うことを示してみたいと思います。その結論は、それ自体重要なものであり、また、言語学、そして言語と心の哲学を含む非常に広い意味での認知科学という関連分野において、一般的に信じられており、またしばしば根本的であると思われているものとは明確に異なっているのです。これらの分野において実質上、「ドグマ(教義)」と化している考えは、言語の本質に関する詳細な研究に照らしてみると、とても擁護できるものとは思えません。

古代インドや古代ギリシャ以来二五〇〇年もの間、言語は徹底的かつ生産的に研究されてきましたが、その間、「言語とは何か」という極めて単純な問いに対する明確な答えは一切ありませんでした。この問いに対する近年の主要な提案のいくつかについては、後で触れることにします。この溝を埋めることがいかに重要か考えてみましょう。言語のどのような側面の研究においても、「言語とは何か」という問いに対する答えは明確であるべきです。この問いに対する答えがある限りにおいてのみ、言語獲得、言語使用、言語変化、言語の起源、社会における言語、言語の多様性や共通性、そのシステムを実行する内的メカニズムといった言語の様々な側面に関する諸問題を真剣に研究することが出来るようになるのです。例えば、「眼とは何か」という問いに答えず、つまり眼とは何かということについて充分に明確なことを述べることなしに、眼の発達や進化についての説明を提案する生物学者はいないでしょう。言語の研究に関しても、当然、この自明の理が当てはまります。

しかし、実のところ言語の場合、言語とは何かを明確に決定づけるべきさらに根本的な理由が存在するのです。その理由とは、我々がどのような生き物なのかという、より一般的な問いに極めて直接的に関係するものです。「下等動物が人間と異なっているのは、ひとえに人間がまさに千差万別な音と観念を結びつけるほとんど無限に大きな能力を持っていることにある」〔Darwin 1871〕という結論に到ったのはチャールズ・ダーウィンが最初ではありませんが、人間の進化に関する萌芽的説明の枠組みにおいて、この伝統的な概念を表明したのはダーウィンが最初でした。

今日では、いま引用したダーウィンの観察は多くの点において修正されなければならないことがわかっています。まず、「ほとんど無限に」という表現は、文字通り「無限」と呼ぶべきものを意味するために用いられる旧来の表現です。「ほとんど無限」というような概念は存在しません。「音」のみに言及している点も、少し狭すぎます。通常、言語は音声によって話されるもので、便宜上私も以下では音声言語に絞って話をしていきますが、言語を使用するときの様式(モダリティ)は大した問題ではないことが最近わかってきました。聾者の手話(サイン言語)もその構成原理、獲得、使用に関して――さらには驚くべきことにその内的神経表示においても――音声言語と根本的に同じなのです。しかし最も重要なことは、言語において音と観念が結びつけられる方法は、明らかに人間に固有であるということです。それに相当するものは動物の世界では見つかっていません。これは重要な発見です。

ダーウィンの観察の現代版は、人間の進化を現在研究している主導的科学者の一人であるイアン・タタソールによって与えられています。彼は、今日入手可能な科学的根拠に関する論評を最近公刊しました。その彼の著作から引用すると、「進化の記録が、後に我々人類となるものの予兆を提示するであろうとかつては信じられていた。しかしながら、実際はそうではなかった。現代の(人類に)固有の感性の獲得が突然の、そしてまた最近の出来事であることが次第に明らかになってきたのである。……そしてこの新たな感性の表現が、現代の我々人類の本性に関するおそらく唯一の最も驚嘆すべきもの――言語――の発明によって決定的に促されたのは、まず間違いない」とタタソールは述べています〔Tattersall 2012〕。そうだとすると、「言語とは何か」という問いに対する答えは、現代の我々人類の本性を理解することに興味を持ついかなる人にとっても重要な関心事となってきます。

タタソールは、その不意で突然の出来事がおおよそ五万〜一〇万年前の間のどこかでおそらく起こったのだろうとしています。正確な時期ははっきりしていませんし、そのことは、我々のここでの関心にはあまり重要ではありません。しかし、その創発が突然の出来事であったということは重要です。進化上の時間感覚では、これはまばたきをする間のような、非常に速い一瞬の出来事です。このトピックに関して憶測を語る、莫大な数の、そして今なお急拡大している――私には間違っていると思われる――文献については後でまた立ち戻ることにしますが、そういった憶測は大抵、いま述べたものとは非常に異なる立場を採っています。

さて、限られた経験的証拠が示しているように、もしタタソールの説明が基本的に正しいのならば、この極めて短い期間に出現したのは、ダーウィンの言うところの「まさに千差万別な音と観念を結びつける」無限の能力だったことになります。この無限の能力は明らかに有限の脳の中に存在しています。無限の能力を持つ有限のシステムという概念に関しては、二〇世紀半ばまでには歴史上初めて充分な理解が得られていました。このことによって、言語の最も基本的な特性として認識すべきものを明確に定式化することが可能になったのです。これからこの特性のことを単に**基本原理**(Basic Principle)と呼ぶことにしましょう。つまり、各言語は階層構造を持つ表現の無限の配列を提供し、その各々の表現は、二つの「インターフェイス」(あるいは連結部)と呼ばれているものにおいて解釈を受けます。二つのインターフェイスとは、外在化(音声)のための感覚運動インターフェイスと心的過程のための概念インターフェイスです。これが言語の「基本原理」です。「基本原理」の詳細を明確に述べることによって、ダーウィンが説く無限の能力に対して、またさらにずっと遡れば、言語とは意味を伴う音であるというアリストテレスの古典的な箴言に対して、実質的な定式化を与えることが出来るのです。但し、アリストテレスの古典的な見解は、重要な点において誤解を招くものであったと考えるのに充分な根拠が存在します。この点については、また後で立ち戻ります。

このように考えると、各言語は少なくとも「基本原理」を満たす計算手続を組み込んでいることになります。したがって、言語の理論は定義上、**生成文法**(generative grammar)と呼ばれているものであり、各言語は個人に内在している生物学的特性であり、(大部分は)脳の下位システム、つまり本質的には脳あるいは心のある種の器官ということになります。ここで「心」とは、ある抽象化のレベルにおいて捉えた脳のことです。この捉え方は、一八世紀の偉大な科学者たちに遡る慣例でもあります。

以前は、言語の「基本原理」というものを明確に定式化することは困難でした。現代の古典のいくつかを振り返ってみましょう。まず、フェルディナン・ド・ソシュールを取り上げてみましょう。ソシュールによれば、言語は共同体の構成員の心の中にある語の映像(イメージ)の貯蔵庫であり、それは共同体における「一種の契約」によって存在しているものです。したがって、言語とは有限の社会学的概念です。現代アメリカ言語学における偉大な存在であるレナード・ブルームフィールドにとっては、言語とは慣習的な言語音を伴って状況に反応したり、それらの言語音に行動を伴って反応したりする一連の習慣です。ブルームフィールドは別の所では異なる定義を挙げていて、言語を「ある言語共同体においてなされた発話の総体」と定義づけています。これはもう一人の偉大な言語学者であるウィリアム・ドワイト・ホイットニーによって少し以前に与えられた定式化と類似しています。ホイットニーは、言語とは「発話され聴き取ることが出来る記号の集まりであって、それによって人間社会においては主に思考が表現される」と述べています。つまり、言語は「思考のための可聴記号」ということになります。二〇世紀初期の主要な言語学者の一人であるエドワード・サピアは、「自発的に産出された記号のシステムを用いて、観念、感情または願望を伝達するための、純粋に人間的で非本能的な方法」として言語を定義しています。これらの定式化はどれも「基本原理」を捉えようとはしていないことに注意してください。それもそのはずで、「基本原理」が何を意味するのかが本当に理解されるようになったのは、二〇世紀も半ばの形式科学においてだったからです。

こういった考え方に基づけば、諸言語は恣意的な形でお互いに異なり得るとか、新たな言語は一切の先入観なしに研究されなければならない、といった原則を採用するのは不自然ではありません。したがって、言語理論は、一群のデータを何らかの組織化された形式に還元するための分析手続——基本的には分節と分類に関する手続——から構成されることになります。実際、私が学生だった一九四〇年代の言語理論は、こういったものでした。

ダーウィンが描いた構図といくらか似通った考え方の徴候が、はるか以前、近代科学の黎明期においても認められます。ガリレオは、「一ページに二〇の文字を異なるやり方で配置することによって、……自分の最も深い思考をどのような他人にも伝えられる方法を見つけることを夢みた」人の「心の崇高さ」に驚嘆しました。もちろん、ここで二〇の文字というのはアルファベットを指しているのであり、それが表わしているものを指しているのではありません。ガリレオは、これは「全ての途方もない発明を凌駕するような」、そして「ミケランジェロ、ラファエロ、あるいはティツィアーノの作品」でさえも超えるような成果であると述べました。

同様の認識に加え、言語の通常の使用が持つ創造的な特徴に対するさらにずっと深い関心が、その後すぐにデカルト的哲学の中核的な要素となります。実のところ、言語使用の創造的側面はデカルトの体系において、第二実体としての心が存在することを示す主要な規準だったのです。当然のことながらこの考え方は、別の生き物が我々人間のような心を持つのかどうかを決めるためのいくつかのテストを考案する取り組みを促すことになり、特にデカルトの門弟であるジェロ・ドゥ・コルドモアによるものがよく知られています。これらのテストは、現代の「テューリング・テスト」と幾分似通っています。テューリング・テストは機械が思考できるかどうかを決めるためのテストとして一般的には理解されています。

ところで今朝、東京大学の入学試験に合格することが出来る機械を作ろうという日本での取り組みに関する『ジャパン・タイムズ』の記事を読んだ方もいるかもしれません。もちろん、これは機械そのものを指しているのではなく、問題に答えることが出来るプログラムを指しているのです。しかし私の考えでは、これはあまり意義のある成果とは言えないと思いますね。その記事は、その機械がいったん東京大学に入学してしまったら、それで終わりになってしまうということには言及していませんでした(会場笑い)。その機械は新入生になっても何も学ぶことが出来ないでしょう。まあこれは、学生の一部にも当てはまることなのかもしれませんが(会場笑い)。

さて、ドゥ・コルドモアの取り組みはテューリングのとは全く異なっていました。ドゥ・コルドモアの実験は、通常の科学的研究と同種のものです。ちょうど、化学における酸度を調べるためのリトマス試験のように、実在世界、つまり真に存在するものについての結論を導き出そうとする試みだったのです。これに対して、「模倣ゲーム」とテューリング自身が呼んだテューリング・テストの方には、そのような野望は意図されていませんでした。テューリングが自分で非常に明確に述べている通りです。テューリングの結果を用いる人々は、彼自身がこだわり続けたテューリング・テストの限界を認識できていないのです。今朝の『ジャパン・タイムズ』の記事などはその一例です。

言語の使用が創造的な特徴を持っているというデカルト派の根本的洞察に疑いを持つ理由は何もありません。言語の使用は、その範囲に限界がなく、大体において全く新しいものです。また、言語の使用は状況に適合したものですが、状況によって因果的に引き起こされるものではありません(これは決定的に重要な違いです)。また、言語の使用によって、自分自身も同じように表現したであろうと認識できるような思考を他者の中に生じさせることが出来ます。デカルト派の定式化を引用すると、我々は状況や内的状態によって、別の形ではなく、ある特定の形で話すように「駆り立てられその気にさせられ」はするが、それらによって「強制される」ことはないのです。これは決定的な違いです。なぜそうなのかわかってはいませんが、ともかくそうなのです。

同様の考え方が、偉大な言語学者であるヴィルヘルム・フォン・フンボルトが述べた、言語は有限の手段を無限に用いることを含んでいるというアフォリズムの根底にもあります。より完全な形でフンボルトを引用すると、「言語は、思考可能なもの全ての精髄という、終わりのない、そして真に限界がない領域に独特の形で対峙している。したがって、言語は有限の手段を無限に使用せざるを得ないのだが、そうしたことが可能なのは、思考を産出する力と言語を産出する力が同一だからである」と述べています。フンボルトは、言語を思考と密接に結びつけたガリレオなどの人々にまで遡る伝統の中に自分自身を位置づけていますが、言語と思考の同一性を仮定することにより、その伝統のさらに先に行ったと言えます。言語と思考の同一性を仮定するということは、極めて強い主張をしていることになりますから。そしてフンボルトは、言語についての伝統的な考え方の一つ、すなわち、再びタタソールから引用すると、「現代の我々人類の本性に関する唯一の最も驚嘆すべきもの」を定式化してみせたのです。

「有限の手段の無限の使用」という表現はしばしば引用されますが、我々が心に留めておかなければならない重要な事実は、言語を無限に使用することを可能にしている有限の「手段」の理解に関しては極めて大きな進展が見られましたが、それにもかかわらず、創造的な無限の「使用」の方は、ほとんど全く謎のままであるということです。このことは、言語の適切な使用を導く諸々の規約――これはもっとずっと狭い概念です――に関して重要な研究が発展してきているという状況にもかかわらず、事実なのです。言語の使用がどのくらい深い謎なのかということは、それ自体が興味深い問題です。もしかしたら、人間の理解能力を超えたところにある謎なのかもしれません。もしそうだとしたら、そういう状況は、このことに限ったことではないでしょう。これが本当にそうである可能性は大であると思います。このことは探究していく価値のある問題ですが、ここでは脇に置いておくことにします。

およそ一世紀前に、もう一人の偉大な言語学者であるオットー・イェスペルセンは、次のような問題を提起することによって、今まで見てきた伝統をさらに推し進めました。その問題とは、有限の経験に基づいて、言語の構造がどのようにして「話者の心に存在するようになり」、その結果、話者が自分で文を組み立てる際――とりわけ、話者にも聴者にも概して新しい「自由表現」を組み立てる際に――「その手引となるくらい充分に明確な」ものである「構造の観念」を産み出すのかという問題です。これは通常の言語使用で行なわれていることです。そうなると、言語学者の仕事は、こういったメカニズムを発見し、またそれらがどのようにして心の中に生じたのかを突きとめることです。そしてさらに進んで、イェスペルセンが「全ての言語の文法の根底に横たわる大原理」と呼んだものを見出し、それによって、イェスペルセンが特に言語と思考を結びつけながら述べている、「人間の言語と人間の思考の最も深奥にある本質に対するより深い洞察」を得ることとなのです。

今日ではこういった考え方は以前ほど奇妙とは見なされませんが、イェスペルセンがこのように言った後、二〇世紀前半に、この分野の大部分を支配するに到った構造主義や行動科学の時代には実に奇妙な考えであると見なされていました。構造主義や行動科学は、イェスペルセンが持っていた関心事やそういった考えが出てきた伝統を――これは不幸なことにほぼ完全に忘れ去られていました――分野の周辺に追いやってしまったのです。

この考え方を復活させ、イェスペルセンのプログラムを再定式化するとどうなるかというと、言語学者の最も重要な仕事は、心と行動における他の諸側面と言語とのインターフェイス、そして人間にとって獲得可能である様々な内的諸言語においてそれらを関係付ける**生成手続**(generative procedures)の真の本質を研究することであり、また、それらのインターフェイスや生成手続がどのようにして心の中に生じ、どのようにして使用されるようになるのかということを決定することなのです。ここでの主要な関心は、おのずと、「繰り返される決まり文句」ではなく「自由表現」となります。そしてさらに、人間にとって接近可能な言語の本質を決定づける、我々が共有している生物学的諸特性を発見することも言語学者の主要な仕事です。この研究主題は、伝統的な用語を現代の枠組みで捉え直して、**普遍文法**(Universal Grammer, UG)と今日呼ばれているものです。この問題は、イェスペルセンの説く「全ての言語の文法の根底に横たわる大原理」を現代的に蘇らせたものであり、生物学的に人間に固有の言語能力を産み出す遺伝的賦与物に係わる問題として捉え直されている課題なのです。

生物学的枠組みにおいて生成文法を捉えるという、二〇世紀半ばに起こったこの視座の転換は、言語そのものや言語に関連する様々な主題に対する、それまでよりも遥かに広範囲に亘る研究の途を拓くことになりました。世界中の様々な言語――類型論的に非常に多様な諸言語――から利用できる経験的材料の範囲は桁外れに拡大し、これらの言語は、六〇年前には――二〇年前でさえも――想像も出来なかったほどの深いレベルで今では研究されています。この視座の転換はまた、言語の獲得や神経科学であるとか、あるいはまた、他の認知能力からの言語の乖離といった問題も含む形で、各個別言語の研究に関与する様々な証拠の範囲も大変豊かにしました。さらに、この転換によって、各個別言語に対して、他の言語の研究から得た結論が重要性を持つことになりました。言語能力は我々が共有する生物学的な賦与物に依存しているという充分確立された仮説に基づけば、例えば、日本語の研究において発見されたことが、英語の研究に直接関係してくることになるのです。言語学がデータ分析に関する一連の手続に過ぎないと見なされていたときには、こういった証拠はどれも言語の研究とは何も関係がなかったのです。

明示的な生成文法を構築しようとする最初期の試みが六〇年ほど前に始まるやいなや、多くの不思議な現象が直ちに発見されました。それらの現象は、「基本原理」が明確に定式化されず、研究対象としても提示されていなかったときには、また統辞法(文形成の構造)が慣習や類推によって決定された「語の使用」に過ぎないと考えられていたときには、気づかれることさえなかったような現象でした。この状況は、一七世紀における近代科学の最初期の段階の状況といくぶん類似しています。それまで何千年もの間、科学者たちは馴染み深い現象に対する単純な説明に満足していました。例えば、石が落下し蒸気が上昇するのは、それらがそれぞれの自然な場所を探しているからであるといった説明です。あるいは、物体が相互に作用するように見えるのは、共感や反感と呼ばれるもののためであると説明されました。共感が物体をくっつけ、反感が引き離す、といった具合です。我々が例えば三角形のような物体を知覚するのは、その形が大気中を飛んできて我々の頭の中にそれ自身を植え込むからであるという説明もありました。この種の説明がなされていたのです。しかし、ガリレオや同時代の学者たちが自然現象の中に不思議さを認めたとき、近代科学が始まったのです。そして、我々が持つ信念の多くが無意味なものであり、我々の直観が完全に間違っていることが直ちに発見されたのです。不思議さを感知しそれについて考えていこうとする能力は、幼少期――この時期にはそれが自然なことなのですが――から後の人生に到るまで育むべき非常に価値のある特性なのです。

六〇年ほど前に明らかになった、言語についての一つの不思議な事実が今でも問題として残っていて、私にはその事実が極めて重要なものであると思われます。それはとても単純ですが興味深い事実です。言語に普遍的な特性なのです。例えば、instinctively, eagles that fly swim(本能的に、飛ぶ鷲が泳ぐ)という簡単な文を考えてみましょう。

この文には副詞のinstinctively(本能的に)が含まれています。この副詞は動詞と結びつきますが、それが結びつく動詞はfly(飛ぶ)ではなくて、swim(泳ぐ)です。Instinctively, eagles that fly swimというとき、本能的に鷲が泳ぐのであって、本能的に鷲が飛ぶのではありません。でも、なぜそうなのでしょうか。「本能的に飛ぶ鷲が、泳ぐ」(eagles that instinctively fly swim)という思考は真っ当なものです。ただ、この思考は先ほどの文では表現できないのです。同様のことが、can eagles that fly swim(飛ぶ鷲は泳げますか)という疑問文についても言えます。この文は飛ぶ能力ではなく泳ぐ能力を問う文なのです。

これらの例に関して不思議なのは、instinctivelyやcanなどの節頭の要素と動詞との結びつきが遠距離で構造的特性に基づいたものであり、近接性、つまり単に線的特性に基づいているのではないということです。これは不思議な事実です。線的特性に基づいた演算の方がもっとずっと簡単な計算的操作ですから、例えば言語を〔コンピュータで〕処理するためにはそういった演算が最適なのです。しかし、言語はそういった演算を使いません。言語は「最小の構造的距離」という特性を使用するのであって、最小の線的距離という、それよりも遥かに簡単な概念に基づく演算を使うことは決してないのです。このことは、今考えている例のみならず他の数多くの事例にも当てはまります。知られている全ての事例で、処理のしやすさという要因は言語の基本的構成原理において完全に無視されているのです。これは非常に重要な事実です。専門用語を用いれば、言語の規則は**構造依存的**(structure-dependent)なのです。線的順序における近接性は無視されるのです。ここで不思議なのは、一体**なぜ**そうなっているのか、ということです。この特性は英語だけではなくあらゆる言語に関して認められますし、またこれらの構文のみならず、知られている全ての構文において成立するのです。

関連する証拠が微小である、いや実際には存在すらしないにもかかわらず、子供はこういった事例に対する正しい答えを教示されることもなく自分でわかっている、という事実に対する単純な説明があります。その説明というのは、こういった例に直面している言語学習者にとって、線的順序は単に利用不可能であるとすることです。言語学習者は、最小の「構造的距離」を探すように探索を制限している普遍文法の深い原理に導かれています。その原理は最小の「線的距離」を利用する、より簡単な計算的操作を禁じているのです。もちろん、この提案はすぐにさらなる説明を要求することになります。**なぜ**そうなっているのか。こういった不思議な条件を課す、言語が持つ遺伝的に決定された特質とはいったい何なのでしょうか。

最小距離の一般原理は、言語の設計において広範囲に亘って用いられています。最小距離の原理はおそらくさらに一般的な原理である**最小計算**(Minimal Computation)の原理の一事例であり、この後者の原理自体はたぶん自然界の——少なくとも生物界、あるいは、もしかしたらそれさえ超えた世界の――一般的な特性に過ぎません。しかし、最小計算を線的距離ではなく構造的距離に限定している言語設計が持つ特別な特性があるはずです。その特性がもっと単純な線的計算や処理の手続を用いることを妨げているのです。こういった線的な手続は、(構造的距離を用いる手続よりも)単純であるにもかかわらず、普遍的にどの言語においても退けられているのです。

いま話している論点については神経科学を含む他の研究領域から得られた独立の証拠があって、それらは同様の結論を支持しています。ミラノの研究グループは、二つの異なる種類の刺激を提示された被験者の脳活動を調べました。普遍文法を満たしている人工言語と普遍文法の諸原理を守っていない人工言語の二種類の人工言語に取り組んでもらったのです。後者には、例えば、文を否定形にするために否定辞を三番目の語の後に置くというような規則が含まれています。これはとても単純な規則ですが、語を数えることをしない自然言語においてはこの規則に類似するものは一切存在しません。ミラノの研究グループは極めて興味深いことを発見しました。普遍文法に従っている人工言語の場合は、脳の言語野に通常の活動が見られましたが、線的順序を用いる場合は、それがもっと単純な作業であるにもかかわらず、言語野の活動は見られず、言語野の外の一般的な活動しか観察されませんでした。このことは、線的順序を用いる人工言語を、人間はパズル――非言語的なパズル――として扱っていることを基本的に意味しています。

さらに、ニール・スミスとイアンティ＝マリア・ツィンプリという二人の言語学者によるとても興味深い研究結果も出ています。彼らは、認知能力に障害を持ち（実際は、ほとんど認知能力を持たないと言ってよい）ながらも一方で驚異的な言語獲得能力を持つ被験者を研究しました。この被験者を対象とした彼らの研究もいま述べたことと同様の結論に到りました。その被験者が言語の諸原理に従っている人工言語にはうまく対処できるものの、パズルには全く対処できないことを発見したのです。パズルはこの被験者にとっては対処不可能なものでした。このことは、健常者の事例と比べると興味深い符合を示します。健常者は、それが単なるパズルとして提示されたならば、言語の諸原理に違反するシステムでも扱うことが出来ました。しかし、そういったシステムが言語として提示された場合は、それを扱うことが出来なかったのです。言語を見る枠組みが何らかの形で普遍文法の諸原理を課したために、普遍文法の諸原理を破って線的順序を用いる非常に単純なシステムが被験者に理解できなくなったのです。スミスが結論づけているように、「非言語的な環境においては、被験者は同様の問題を簡単に処理できるにもかかわらず、実験で用いた言語的なフォーマットが、彼らが構造依存的でない適切な一般化に達することを妨げているように思えた」ということなのです。

ここで、統辞法と意味論に関わる言語の中核部分の計算においては、線的順序は決して利用されることがない、という、より大きなテーゼを立てることが出来るでしょう。

そうだとすると、線的順序は言語の周辺的な部分であり、二次的で副次的なものであるということになります。線的順序は感覚運動システムが持つ諸特性の反映であり、感覚運動システムがそれを要求しているのです。というのも、我々は同時並行的に話すことは出来ませんし、構造を(外に向かって)発出することも出来ません。我々が出来るのは記号の連鎖を発出することだけだからです。心の中で起きていることを外に出そうとしたら、何であれ感覚運動器官を通さなければなりません。そして、感覚運動器官というのは、言語に特化して適応したわけではないのです。言語に関係する部分は、言語そのものが出現する数十万年前から既に存在していました。また、チンパンジーの聴覚システムが我々人間のものとほとんど同じであることを示す証拠があります。実のところ、チンパンジーの聴覚システムは人間の発話に対して充分に適応したものなのです。チンパンジーは、人間と同じ弁別素性、音韻素性を聴き分けさえするのです。それでも、類人猿は言語獲得の第一歩を踏み出すことすら出来ません。全ての幼児が生後間もなく反射的に踏み出す第一歩のことです。

つまり、幼児は言語に関係のあるデータを複雑な環境からどうにかして抽出しているのであって、このことは、ほとんど奇跡的とも言える偉業なのです。どうやってこんなことがなされるのか、誰にもわかりません。幼児は単なるたくさんの雑音にさらされることによって、その雑音の中で何が言語に関係する部分かを即座に聴き分けるのです。

チンパンジーが同じ雑音を聴いても、それは雑音でしかありません。もちろん、幼児はこのことを反射的に行なうわけですが、それは実は大変な作業であり、またその本質も充分に理解されていないのです。

統辞法と意味論という言語の中核部分に関しては、線的順序は言語には決して利用されることがないという大きなテーゼが実際に正しいことを示す相当量の証拠があります。このことは、根本的な言語設計、つまり言語の基本的な構成原理が左右順序関係や他の外在的な配列を無視していて、階層構造のみを見ているということを意味しています。これは統辞法において成り立ちますし、意味論でも成り立ちます。もしそうだとすると――そしてそうであるように思えるのですが――言語の「基本原理」は、私が先に定式化したようなものとは多少異なり、また最近の文献で定式化されているようなものとも少し違うことになります。つまり「基本原理」は、概念インターフェイスと結びつく、階層的に構造化された表現の無限の配列を生成すること、ということになります。そうした表現は、よく言われるように、ある種の――そしておそらくは唯一の――「思考の言語」をもたらすことになります。ここには興味深い問題がありますが、それには立ち入らないことにします。

この方向での論究が基本的に正しいのならば、言語を「思考の道具」として捉える伝統的な考え方に立ち返ること、そして、その伝統的な考え方に従ってアリストテレスの言明を修正することに対する充分な理由が存在することになります。つまり、言語は「意味を伴う音」ではなく、「音あるいは外在化の他の形式を伴う意味」であるということになるのです。外在化の形式の典型は音ですが、先に述べたように、他の様式(モダリティ)も可能なのです。

こういった考え方が正しければ、外在化は二次的なプロセス、副次的なプロセスです。外在化の諸特性の大部分は、言語とは独立した感覚運動システムの反映です。そして研究を進めれば進めるほど、この結論が支持されるのです。言語の処理は表面的で周辺的な側面であり、言語の中核的特性ではないということになります。外在化に依拠する言語使用の諸側面、中でもコミュニケーションはさらにずっと周辺的なものです。このことは、真当な支持証拠が存在しないにもかかわらず実質上のドグマ(教義)となっている考え――言語の哲学、認知科学、言語学の大部分において、永年に亘るドグマ(教義)となっている考え――とは相反するものです。また、言語進化に関する近年の広範囲に亘る思弁がそもそも誤った方向を向いているということもわかるはずです。そういった思弁は、ほとんど例外なく、言語がコミュニケーションの道具として何らかの形で進化してきたのであろうと推測しています。しかし、コミュニケーションというのは言語の非常に周辺的な側面であって、しばしば仮定されているような言語の中核的機能ではないのです。

「基本原理」をさらに詳細に調べてみると、こうした結論がより一段と揺るぎないものになります。当然のことながら、我々は「基本原理」の最も単純な定式化を求めることになります。これは通常の科学的方法に従って、恣意的な規定を最小限に抑えた理論を作るというだけのことです。「基本原理」に関する恣意的な規定はいずれも、言語の起源についての何らかの最終的な説明に対する障壁となることに注意してください。したがって、当然のことながら、そういった規定を減らしていって、通常の科学的方法に訴えることで何が達成できるかを問うことになります。

あらゆる計算手続に何らかの形で埋め込まれている最も単純な計算的操作があります。その最も単純な演算は、既に構築されている二つの対象――ＸとＹ――を取ってきて、新たな対象Ｚを作るというものです。その演算を**併合**(Merge)と呼ぶことにしましょう。この演算のすべてが最小計算の原理に従います。この原理はおそらく自然の一般法則で、言語にも適用されます。そしてそれは、ＸとＹが併合されるとき、ＸとＹのどちらも変化しないことを要求します。これは最小計算の一例です。もちろん、Ｚの中に現れる二つの要素(ＸとＹ)は順序づけられていません。これもまた最小計算の帰結です。したがって、ＸとＹを併合すると、本質的にはＸとＹを含む集合を産み出すことになります。併合は基本的に集合形成の演算なのです。

言語が最小計算の原理に従うとすれば、なぜ線的順序が言語の二次的な特性に過ぎず、中核的な統辞的・意味的演算にとって利用不可能なように見えるのかという問いに対して、広範な帰結を伴う答えを得ることになります。問いの答えは、言語が完璧に設計されているということです。言語が完璧に設計されたものであるのならば、この結論が導き出されるのです。ではなぜ言語は完璧に設計されているのかと問うことが出来るでしょう。一つひとつの答えが常に次の問いへと繋がっていくのです。この問いはしばらく心に留めておくことにしましょう。他の言語現象をさらに詳しく調べてみれば、いま述べた結論を支持する証拠を積み重ねることが出来ます。ほんの少しだけ例を挙げてみましょう。ちなみにこのことは、なぜ諸規則が構造依存的なのかという問いに対する答えも与えてくれます。言語が完璧に設計されているのならば、その諸規則は構造依存的でなければならないのです。

少し詳しく見てみましょう。XとYが併合を受け、そのXとYのどちらも、もう一方の部分ではないとしましょう。例えばread(読んだ)とthat book(あの本)を併合することによって、read that book(あの本を読んだ)に対応する統辞体[統辞法における単位要素]を作るときのようにです。これを「外的併合」(External Merge)と呼ぶことにしましょう。今度は、二つの要素のうちの一つがもう一方の部分だとしましょう。例えば、John read which book(ジョンがどの本を読んだ)という文があって、which bookを取って、それをその文全体と併合すると、which book John read which bookを得ることになります。これは、感覚運動システムを通り、別の演算(これには後でもう一度触れます)を受けて、which book did John read という形で実際に表面に現れることになります。これは言語において至る所で見られる現象の一例で、「転置」と呼ばれる現象です。つまり、句がある位置で聴こえ、どこか別の位置で解釈を与えられるのです。ですから、which book did John read という文は、for which book x, John read the book x(どの本 x に関して、ジョンがその本 x を読んだのか)と解釈されます。我々は which book という句を文頭の位置で聴きますが、解釈は、その文頭の位置と x が元々あった位置の両方で行なっているのです。

この場合もXとYの併合の結果はXとYを含む集合となりますが、その集合は二番目に併合されたものの二つのコピーを含むことになります。つまり、Y(= which book)の二つのコピーであって、一つは元々のコピーでX内にあるものであり、もう一つは転置され、Xと併合されたものです。この演算は「内的併合」(Internal Merge)と呼ばれています。

この状況の論理を考えると、外的併合と内的併合が唯一の可能性であることがわかります。ですから、これ以外の可能性はありません。既に構築されたいかなる二つの統辞体に対しても、さらなる条件なしに適用されるものとして併合を最適な形で定式化するならば、外的併合も内的併合も共に余計なコストなしに利用可能であることになります。

二種類の併合のうちのどちらかを禁じたり、どちらかを複雑にしたりするには、特別な規定が必要になります。このことは重要な事実です。なぜならば、長いこと、何十年もの間、転置は言語が示すある種の「非完璧性」であり、どうにかしてその存在を説明しなくてはならない特性であると考えられてきました。実のところ私自身もそう考えてきました。一体なぜそのようなものが存在しなければならないのでしょうか。奇妙な特性です。しかし、こういった考えは間違っていることがわかりました。転置は、言語設計が完璧であるという、最も単純な仮定の下で予測されるものなのです。転置が欠けているとしたら、そちらの方が非完璧性を示すことになるわけです。こういう結論が得られたのです。

もう一つの重要な事実は、この最も単純な形での併合――最小計算の原理を満たす併合――が意味解釈のために適切な構造を産み出すことです。これはちょうど which book did John read の例で示した通りです。もちろん、こうした構造は感覚運動システムにとっては具合が悪い構造です。言語においては普遍的に、ただ一つのコピーのみが発音され、もう一つのコピーは発音されません。この例で示した通り、英語型の言語においては、構造的に最も卓立した要素のみが発音されます。この削除特性は、最小計算をやはり異論のない別のやり方で適用することにより自動的に得られます。この場合、最小計算が意味することは、出来る限り少なく計算し調音せよ、ということです。その結果、調音され発音された文は「ギャップ」(空所)を含むことになります。つまり、何かがそこで理解はされるけれども、それを聴くことは出来ない位置です。聴者にとってギャップは問題です。なぜなら、聴者は欠けた要素がどこにあるのかを見つけ出さなければならないからです。言語の知覚や統辞解析を研究したことのある人なら、それが決して小さな問題ではないことがわかるはずです。実際、これらの領域において、このことこそが主要な問題なのです。「フィラー(埋要素)–ギャップ問題」と呼ばれている問題です。こうした非常に広い範囲の事例においても、言語は文処理の容易さなどを気にもかけません。劇的とも言えるほど、その種のことを考慮しないのです。言語は最小計算の原理を満たし、思考の言語を完璧な形で産み出します。言語の知覚や処理に対しては問題を引き起こしますが、言語の設計はそんなことを全く気にもかけないのです。

同じ結論がもっと複雑な事例においても成り立つのですが、ここで概観することは出来ません。そうした全ての事例において、前に見た instinctively, eagles that fly swim (本能的に、飛ぶ鷲は泳ぐ)の例と同様に、どんな形のデータ処理であろうとも、今まで述べてきたような結論を産み出すことが出来るとはとても思えません。

計算認知科学においては、いわゆるビッグデータと呼ばれている大量のデータの分析や統計処理によって、私が述べてきたような結果を説明しようとする巨大な企てがあります。とにかくどうにかして奇跡的に結果を得ようとしているのです。そんな企てを始めるまでもなく、そのような企てからは何も得られないということを証明できます。今まで述べてきたような単純な理由によってです。私が言及した単純な例を含む数えきれない事例において、ビッグデータの分析が何も産み出しはしないことは明らかです。今までなされた全ての試みが失敗に終わったというのも当たり前のことです。そうした企てをやめるべきだと言っているわけではありませんが、こういった事情を心に留めておくことは重要でしょう。したがって、ここで述べてきたような結果は、言語能力をもたらす遺伝的賦与物——すなわち、最も基本的な計算的操作が「最小計算」という生物学的特性と結びついたもの——から導き出されるものでなくてはならないのです。このようにして、普遍文法の本質についての広範囲に亘る、そして極めて確固とした結論を引き出すことが出来るのです。

一つの主要な結論は、言語が最適に設計されているのならば(もし言語が完璧ならば)、意味解釈、つまり意味を決定するのには適切な構造を提供するけれども、言語の知覚や処理(したがって、特にコミュニケーション)に対しては問題を生じさせることになるということです。一般的に、言語処理の容易さやコミュニケーションの効率性が言語設計における計算の効率性と相反することは数多くあり、そうした事例の全てにおいてコミュニケーションの効率性が犠牲となるのです。コミュニケーションの効率性などは考慮すらされません。計算の効率性こそが言語において考慮すべきものなのです。このことはコミュニケーションや他の外在化の使用法においても成り立ちます。科学においては非常によくあることですが、実際に観察されるものが、その根底にある諸原理について極めて誤解を生みやすい構図を与えてしまうのです。ノーベル賞受賞者のジャン・バティスト・ペランの言葉を引用すると、科学の本質的な業《わざ》というのは、「複雑な可視を単純な不可視へ」と還元すること〔目に見える複雑な現象を目に見えない単純な概念・原理へと還元すること〕なのです。このことを充分に理解しておくことが大切です。言語や他の科学的領域に対するデータ処理的アプローチが――ある意味予測されているような形で――なぜ決してうまくいかないかということの理由の一つがここにあるのです。

こういったこと全ては、先に私が言及したさらなる問いを提起します。つまり、**なぜ**、言語は最適に――あるいはそれに非常に近い形で――設計されていなくてはならないのかという問いです。この問いは、言語の起源を考えることへと我々を直ちに立ち戻らせることになります。最適設計の仮説は、言語の創発に関して我々が有するごく限られた証拠とうまく合致しているのです。先に私がイアン・タタソールから引用した言葉を思い出してください。つまり、進化的時間尺度の上では、言語は非常に最近、しかも極めて突然に、創発したということです。これは何を意味しているのでしょう。このことは、何が起こったにせよ、あるわずかな変化、脳内のわずかな再配線があったことは間違いなく、その再配線によって言語のシステムがどうにかして作り出されたということを意味しています。そこに選択圧は存在しません。ですから、言語の設計は完璧であったのでしょう。それはただ自然法則に従って起こったことなのです。雪片が形作られるのと同じような仕方で作られたのです。雪片は入り組んだ設計で作られていますが、そこにはいかなる選択的効果もありません。単に物理学が決定した通りに作られているのです。

おそらくこのことは言語についても成り立ちます。例えばおよそ七万五〇〇〇年前に、一人の人間において——一人の人間において、というのは、突然変異はもちろん個体内で生じるからです——起こったであろうことは、おそらく脳内のほんのわずかな再配線であり、その再配線が(自然なこととして、最も単純な形の)併合を産み出し、そのことが、限界がない創造的な思考のための基盤を直ちにもたらしたのです。そしてその変化は、ちょうどその時期に考古学的記録に姿を現した、「大躍進」としばしば考古学者によって呼ばれる活動の基盤となったのです。この変化は、現生人類をその祖先から、そして、動物界における他のあらゆる生物から区別する驚くべき相違を生じさせました。

この推測が妥当性を保つ限りにおいて、言語が最適な設計を示すように見えるという問題に対する答えを得ることが出来るでしょう。なぜ言語が最適設計を示すという予想が成り立つのでしょうか。言語が発生したときに存在していたであろう状況の下ではまさにそのことが予想されることだからです。何の選択圧も他の圧力も働いていなかったのですから、出現しようとしているシステムは単に自然法則に従って——この場合は

「最小計算」の原理に従って――生じた、ということなのです。ちょうど雪片の形成が自然法則に従って成されるのと同じです。

この講演でお話ししたことは、ほんの概略に過ぎません。でも、それが皆さんの知的好奇心を刺激すると共に、「言語とは何か」という問いへの答えがなぜそれほどまでに重要なのかを例示できたと願っています。そしてさらに、この根本的な問いを注意深く考察することにより、「我々はどのような生き物なのか」という問題に対して様々な含意を持つ結論を導き出すことが出来るということを示せたとしたら幸いです。以上で講演を終わります。どうもありがとう。

質疑応答

質問1　言語の役割について質問があります。我々が言語のような固有で深い能力を授かっているというのは実に驚くべきことではありますが、今日それがどのように使用されているかを考えると、特に、プロパガンダの場合のように不名誉な形でしばしば言語が使われたり、外交の領域などで必要とされる時に言語が全く使われなかったりする状況を見ると、非常に困惑してしまいます。例えば日本では、我々の知る権利や意見を表明する権利が特定秘密保護法によって大幅に制限されようとしています。こうした時代における言語の将来についてどのようにお考えでしょうか。また、言語がどのような役割や可能性を担うべきだとお考えでしょうか。

チョムスキー　言語はどんな用途に対しても利用可能なのですよ。ハンマーに似ています。家を建てるためにハンマーを使うことも出来るし、誰かの頭をたたくためにハンマーを使うことも出来ます。ハンマーは使用目的のことなど気にしません。ただそこにあって、色々な目的のために利用できるのです。言語がどのように使用されるかは、人間存在の他の側面――人間社会の本質、人間の作った制度、統制や支配における強制の形式、そしてあなたが指摘したようにプロパガンダなど――に依存しています。そしてそれは極めて効果的です。今日の新聞を見てみましょう。そこに見えるものは驚くべきことです。ジョージ・オーウェルが見たら、驚嘆するに違いありません。

例えば、国務長官のジョン・ケリーは、ロシアがクリミアに軍隊を派遣したことに憤慨しました。そこで彼が言ったのは、あなた方もご承知だと思いますが、二一世紀においては、ある国が他国を攻撃するために国境を越えて軍隊を派遣することは許されないというものでした。二一世紀において、他国を攻撃するために国境を越えて軍隊を派遣した国を思い浮かべることが出来ますか。そう、一つ思いつきますね、一つ……実際にはいくつかの国々ですが(会場笑い)。しかし、実際は国境を越えて軍隊を派遣するだけでは収まらず、もっと悪いことに他国を滅ぼしたり、何十万人もの市民を殺害したり、何百万人もの難民を作り出したり、その国をおそらく二度と復興できないくらいにしたりするために、国境を越えて軍隊を派遣したのです。そういったことは問題にならないのです。そして、もっと興味深いことはケリーがそう言ったことではなく、その発言に対して何の論評もなかったということです。データベースを完全に検索したわけではありませんが、私は関連する文献を非常に注意深く読んできています。そして現在までのところ、国際的に見て、主要な報道機関による報道で、ケリーの発言がおかしいと述べた記事は一つだけです。それを書いたのは『ワシントン・ポスト』の記者で、ちなみに黒人の記者です。人々が気づかないようなことに対して、ある程度の感受性を持っているのですね。この記事だけです。そういったことが繰り返されていることをみんな知っているのですよ。確かに非道です。言語道断で、二一世紀においては許されません。こうしたことはプロパガンダの成果であって、非常に驚くべきことです。全体主義国家でも、とてもここまではいきません。そしてこうしたことは、日本を含めた西側全体で起こっているのです。

こういったことは、次々と起こっています。あなたは議論の的になっている特定秘密保護法案について言及されましたが、人々がすごく従順で体制順応的で、その結果、自分たちの目の前に書かれていることに盲目であるならば、秘密保護法案など必要ないのです。なぜ秘密保護法案などをわざわざ出そうとするのでしょう。そんなものには何の意味もありません。もっと良いもの、つまり教育システムというものがあるのです。ジョージ・オーウェルが既にこのことを指摘しているということを述べておくべきでしょう。ここにいる皆さんは『動物農場』を読まれたと思います。これはスターリン主義ロシアについての有名な風刺文学ですが、『動物農場』の序文を読んだ人はいないか、いたとしてもほんのわずかなのではないかと思います。というのも、それは公刊されなかったからです。その序文は何十年も後に、彼の未刊の論説の中に発見されました。読む価値のある序文です。オーウェルは序文の中で、この本は全体主義的敵国であるスターリン主義ロシアについての風刺文学であると指摘したあと、イギリスに関してはどうかと問い、以下のように述べています。つまり、「自由社会イギリスにおいては物理的力の行使を伴うことなく人々の考えを抑圧することが出来る。したがって、我々イギリス人は、全体主義的言論抑圧に関して、あまり自分たちだけが正しいと思わない方がよい。」彼はいくつか例を挙げていて、それらの説明のための文もいくつか書いています。そのうちの一文は、報道機関は富裕層によって所有されており、彼らにはある種の考えを広めたくないあらゆる理由があるというものです。しかしそんなことよりもっと重要な理由があって、それは「良い教育」だと言うのです。最高の学校に行っていれば、例えば、オックスフォードやケンブリッジに行っていれば、言ってはいけないような類いの事柄が存在することを頭にしみ込ませているはずです。考えてもいけないこともあります。したがって、物理的力は必要ないのです。自由社会イギリスにおいても、物理的力を行使せずにこういったことを非常にうまく行なえるのです。今日の――実のところほとんど毎日のように――新聞の第一面において、様々に異なるトピックに関して、今述べたようなプロパガンダの完璧な例を我々は見ているのです。

ですから、あなたが言っていることは極めて正しいのですが、言語はそうしたことを気にはしません。言語はそういった使用法のためにも利用可能だし、それを暴露するために用いることも出来ます。我々の決意しだいなのです。家を建てるためにハンマーを使うか、誰かを苦しめるために使うかは、あなたが決めることです。それと同じです。ハンマーは気にしません。言語も気にしません。

質問2　私はこれまで言語の知覚や統辞解析を学んできました。言語の文において、最小の線的距離ではなく最小の構造的距離の方が重要であるというご意見には完全に賛成です。しかし、言語に対する何らかの遺伝的賦与物を仮定するとしても、どの子供も言語獲得のために言語的入力を処理しなくてはならないことは明らかです。言語獲得の速さを考えると、どの子供も入力を効率的に処理できるということにならなければなりません。統辞解析の効率性に関する何らかの原理が言語本体と相互作用を起こすかもしれないと予想できるでしょうか。

チョムスキー　予想することは出来るかもしれませんが、その予想は間違っているようです。事実と異なるということです。我々が何を予想するかは、世界がどうなっているかに関して大して重要なことではありません。例えば、ガリレオに遡ってみましょう。当時の人たちが予想し、そして物理学の授業を取っていなければ今日の人々も予想することは、大きくて重いボールと小さくて軽いボールがあってそれらのボールを落下させると、重いボールの方が速く落ちるということです。我々はみなそう予想します。科学もまた、そのことが真でないとわかるまでは、そう予想していました。世界についての我々の直観は研究の出発点にはなり得るものの、それに依拠することは出来ないのです。それが真であると、はっきり示せるものに依拠しなくてはいけませんが、それはしばしば直観とは大いに異なる結果になります。おっしゃったことは、まさにこの例なのです。確かにあなたのおっしゃる通り、言語処理の容易さというものが言語の特性を決定するような性質だろうと我々は最初に予想するかもしれませんが、ここでもまた、その予想は誤っているように思えます。そのことが全てです。

言語について成立するように見えることは、言語は「思考の道具」として設計されているということです。もちろん、文字通り(誰かに)「設計」されているという意味ではありませんよ。言語は創発し、そして「思考の道具」として発達したのです。実際、言語を内観的に捉えて、何のために言語を使っているか考えてみてください。ほとんど常に、内的対話と呼ばれるもののために言語を使っていることがわかるはずです。つまり、自分自身に向けて話すという行為から我々が逃れることはほとんど不可能だということです。自己に向けての内的対話は昼間でも夜でも一日中ずっと行なわれていて止めることが出来ませんし、止めるためには相当の努力と意思が必要です。内的対話をもう少し注意深く観察してみると、心の中で浮かんできているのは、実際の文ではないことがわかります。それはもし望めば文にすることが出来るようなちょっとした断片です。それらの断片を、今度は思考のための文に——発話可能な速度よりもずっと速く、ほとんど自動的に——変えていくのです。ですから、心の中で起こっていることは意識のレベルを超えていて、意識にのぼる内的対話の断片であり、それはほとんど全面的に意識のレベルを超えたものなのです。

言語が選択圧や他の圧力がかかることなく、雪片と同様に自然法則に従って、突然創発したものならば、言語のこういった特性は、原理的理由に基づいて我々が予想するものと言えます。この考えが正しいことを証明することは出来ませんが、ほんの数年前に比べても現在ではこの考えの妥当性ははるかに高まってきているように思えます。言語に対する今述べた考えをさらに妥当なものにするように研究の流れを方向づけていくことが重要でしょう。実際、私自身の気持ちとしては、この考えが一般的に成り立つことを示そうとする目標によって、本格的な言語研究をほぼ主導することが出来るのではないかと思います。なぜなら、そのことがまさに、言語の進化、言語の起源に関して、我々が利用できるごく限られた証拠に基づいて予想できる結論だからです。

ところで言語の進化についてひと言付け加えさせてください。皆さんの多くは、言語の進化と呼ばれるものに関する最近の膨大な文献をご存じだと思います。これは実に奇妙な現象です。その理由の一つは、そんなトピックはそもそも存在しないからです。言語は進化しません(会場笑い)。言語は変化しますが、進化はしません。言語というのは有機体ではありませんし、DNAも持っていません(会場笑い)。したがって、言語は進化などしないのです。進化するのは言語のための能力、つまり普遍文法です。そして言語能力の進化については、二つの事実があって、一つは充分に立証されており、もう一つは信憑性が高いと思われるものです。充分に立証された事実というのは、五万年から八万年前に人類がその発祥の地であるアフリカを出て以来、何の進化も起こってはいないということです。つまり、人類は認知的に同一であるということです。個体間の相違があることは誰もがわかっていますが、集団間の相違はどうやら存在しません。例えば、二万年の間、部族外との人的接触を持っていないアマゾンの部族から幼児を東京に連れてくれば、その子はあなた方と全く同じように話し、量子物理学についてだって話すようになるでしょう。言語的な相違点も、それ以外の認知的相違点も一切知られていません。このことは、言語の創発から間もない時期以来、言語、すなわち言語能力は全く進化していないということを意味しています。

そしてもう一つの信憑性が高いと思われる事実というのは、決定的な形で立証することがより困難なものなのですが、タタソールが言及したことです。つまり、いま述べた時期よりも五万年ほど遡ってみると、おそらく言語は存在していなかったという事実です。こういったことが、言語の起源を研究する上での経験的基礎となるのです。これら二つの事実を除けば本当に全く何も経験的基盤がないところから、あれだけ膨大な文献が出てくるとは驚くばかりです。そして、これらの事実は、ああいった文献で論じられているものとは別の方向に考察を導くことになると私は思います。すなわち、いま述べた二つの事実は、最適設計による言語の発生を予測し、そのように捉えられた言語においては、我々の直観に反して、言語の処理がその起源における要因ではないように思えるのです。

質問3　とても素朴な質問があります。言語はコミュニケーションのために進化したのではないというのがあなたのご意見だと思います。そうなると、統辞法－音韻論のインターフェイスに関する研究というのは、あなたの研究プログラムにおいて重要性を持つのでしょうか。

チョムスキー　もちろん、大いに重要ですよ。形態論、音素論、プロソディを含む広い意味での音韻論は、実際、非常に重要なトピックです。個人的なことを言えば、私の専門的な研究経歴の半分くらいは、そういう問題の研究に充てられてきました。とても重要だと私は思います。そういう問題が言語の本質にとっては周辺的だとしても、重要であることに変わりはありません。だからこそ、確か二〇〜三〇年前くらいに、聾者の言語、つまり手話が、その基本的特性において――神経表示においてでさえも――音声言語と非常に近い、ないしは同一のものであることが発見されたときは驚きだったのです。手話は聴覚ではなく視覚的様式(モダリティ)を使いますが、驚くべきことに、手話も音声言語も内的計算の中核部分は共通しており、それを外在化するためにどのモダリティを使うかは関係ないようなのです。しかしこのことは、外在化を研究することが重要でないことを意味しているわけではありません。もちろん外在化は研究する価値があるものです。そして外在化というのは複雑な過程です。

実際、第二言語を学習する場合のことを考えてみると、学習手順全体が、事実上、外在化に関わることなのです。例えば、instinctively, eagles that fly swim という文において、instinctively が fly ではなく swim に係るといったことを学習することはありません。誰もこのことを教えてはくれません。でも、あなたはそれを知っています。こういうことを知っているということは、あなたの本性の一部なのです。第二言語の学習の際、あなたが勉強するのは、語彙であり、観念と何らかの他の存在物との恣意的な結びつきですが、こういったことは些細な問題ではありません。ここではこの問題は脇に置いていますが、何らかの存在物というのは、単なる世界におけるモノではなく、非常に込み入った概念です。発音する音がどんなものかを学び、どうやって発音するかといったことや、不規則動詞なども学ばなくてはなりません。込み入った作業です。第二言語を学習するときは、こういったことを学ばなくてはなりません。統辞法や意味論は学習しません。それらは既にあなたの中にあるのです。同じことが第一言語の獲得の場合にも成り立ちます。

ですから、外在化は難しいトピックです。外在化は普遍文法によって制約されますが、普遍文法のみによってそのまま決定されるというわけではありません。だからこそ、諸言語はこんなにも異なって見えるのです。諸言語間の相違は、おそらく外在化にのみ存在するのです。内的には、言語は全て同一なのかもしれません。そのことを支持する証拠が次々と得られています。いずれにしても、外在化は研究すべき重要な問題です。言語の内的システム(これは基本的には思考システムです)を感覚運動システムに関係づけるという問題を人間がどのように解いているかは、難しい認知的問題です。これが第一言語にせよ、第二言語にせよ、言語獲得の問題なのです。

質問4　日本の多くの教育者が第二言語獲得に従事しています。現在、日本は第二言語獲得がうまくいっていないという定評があります。あなたの理論が何らかの形で第二言語獲得に役立つことはありますか(会場笑い)。

チョムスキー　それはまさに語学の先生たちが決めることですね。ここで、人間の動作に関する生理学を研究している生物学者がいると仮定してみましょう。例えば、人が腕をどうやって動かすかといったことを研究している生物学者です。このマイクスタンドをつかむために私がどういう風に腕を動かしているのか、ということは極めて難しい問題なのです。でも、そういう問題に関しては非常に重要な研究があります。今度は、あなたが水泳の先生だとしましょう。その場合、いま言ったような人間の動作に関する事柄をどこまで知らなければならないでしょうか。実のところ、あなたが泳ぎを教えようとしている相手は、そうしたこと全てを既に知っているのです。それはその人の本性の一部なのですから。したがって、どうやって腕を上げるかなどをその人に教える必要はありません。それはその人の本性です。実技を向上させるために、その人が既に知っていることをいくらか改良するような指導はしますが、水泳の先生でもテニスの先生でも、あるいは他のどの競技の先生でも、科学ではほんの部分的にしか理解されていない内的構造の入り組んだ複雑なシステムをわずかに改良したものを提供しているに過ぎません。

科学的理解から競技の先生がどのくらい学ぶことが出来るかは、その先生しだいです。水泳の先生が生理学に関して何か知っていても別に損はしませんし、おそらくむしろ有益でしょうが、では一体どのくらい知っていればいいのでしょうか。それは実際にそれを行なっている現場の人が決めることでしょうね。医師と生物学の関係と同じです。医師は生物学をどのくらいまで知っておかなければならないのでしょうか。医学のほとんどが、直観や洞察力や、そういうものによって発達してきた一種の技芸です。しかし、生物学をある程度知っておくと役に立ちます。特に最近では、生物学が非常に役立つようになってきています。

実際、同じことが工学にすら成り立ちます。私は六〇年前にＭＩＴに赴任したのですが、その頃、ＭＩＴは工学系の大学でした。学生はどうやって橋を架けるかとか、どうやって電気回路を作るのかといったようなことを学んでいました。とても優れた数学科と物理学科がありましたが、それらは一種補助的な学科でした。工学者が具体的な問題をよりよく解決するためのテクニックを提供していたのです。それから一〇年後、ＭＩＴは科学系の大学になっていました。何かを建てたい、作りたいと思うなら、ＭＩＴではなく他の場所に行くことになります。ＭＩＴは基礎科学と色々な分野へのある程度の応用に専念するようになりましたが、学生たちは機械工学を専攻しようと、航空工学を専攻しようと、何を専攻しようと、基本的に同じ科目を取ります。

何が起こったかというと、歴史上初めて、基礎科学がテクノロジーを真の意味で導くことが出来る段階に達したということです。それ以前には、テクノロジーというのはほとんど熟練技術だったのです。もちろん、基礎科学も多少は関わっていましたが、テクノロジーの大部分は一種の職人芸のようなものでした。二〇世紀前半における科学の大発展期を経て、現在では、状況は一変しています。基礎科学が工学を行なう際のあらゆる面での基本となっています。同じことが医学の分野で起こり始めています。この五〇年くらいは、生命科学が医学に対して貢献するようになりましたが、何千年もの間、生命科学が医学の実践に対して貢献することはありませんでした。言語学についても同じことが成り立つと私は思います。将来どうなるかはわかりませんが、ともかく、現場の専門家が決めることだと思います。

質問5　講演では併合――内的併合と外的併合――について少し話をされました。併合についてもう少し知りたいと思います。我々人間はなぜこの二つの演算を持っているのでしょうか。

チョムスキー　併合に関する論理を見ると、人間はただ一つの演算、すなわち、最も単純な形式の併合、を持っていることがわかります。併合は二つのものを取るだけです。いかなる組み合わせシステムも併合を持つことになります。どのような非有界組み合わせシステムも、「すでに構築された二つのものを取って、それらから新たなものを作れ」と指示する手続をそのどこかに備えているのです。言語の場合は、それが最適な方法で起こっているように思えます。つまり、二つのものから新たなものを作りますが、その二つのものを変えることはせず、二つの間に順序づけを行なうこともしません。これが併合です。基本的に、集合形成の演算です。そして、併合に関する論理を見てみましょう。二つのものがそれぞれ独立したものであるか、一方が他方の一部であるかという二つの可能性があります。これが論理です。もし一方が他方の一部ならば、転置、つまり内的併合が得られます。これはコピーを伴った転置であり、コピーは意味解釈にとってなくてはならないものです。What book did John read(ジョンは何の本を読んだのか)という文を解釈する場合に、ジョンがある本を読んだということがわかるのは、発音されないコピーを解釈しているからなのです。コピーが発音されないのは、「最小計算」――可能な限り少なく発音せよ――のためです。この場合、計算の単純性が統辞解析を難しくしているのです。実際、このことが解析プログラムの主要な問題になっています。欠けている要素をどうやって見つけるのかという問題ですね。言語が統辞解析(処理)のために設計されていたならば、コピーは発音されていたはずです。しかし、もし言語が「最小計算」に従って設計されているならば、統辞解析(処理)にとってはうまくいかないことになります。

論理的に可能なのは今述べた二つの場合に限られます。したがって、それ以上説明を要することはありません。私こそがこのことに最初に気づくべきだったのですが、とにかく突然、言語がなぜ転置を持つのかというような本当に奇妙な特性に見えたものが急に明らかになったのです。このことに最初に気づいたのは、北原久嗣氏のようです。言語は転置特性を持っていなければならないのです。もし転置がなかったら、それは言語の非完璧さを示すものとなっていたでしょう。

質問6　お尋ねしたい、とても単純な質問があります。私はいま手話言語学を研究しています。あなたは手話言語学に興味がありますか。興味がおありならば、どんな点に興味があるのかお訊きしたいと思います。

チョムスキー　私が手話に興味があるかどうかですか？

質問6・1　はい、そうです。

チョムスキー　もちろんです。手話は魅力的なトピックですし、重要な発見であったと思います。手話が普遍文法を具現化する(音声言語とは)別の一つの形式に過ぎないという発見は驚くべきものでした。実は、手話を最初に研究したのは、私がハーバードに居たときの友人の大学院生だったのです。一九六〇年代の初期、こうしたトピックに興味を持っていたのは我々三人だけでした。その一人がエリック・レネバーグでした。(もう一人はモーリス・ハレです。）レネバーグは数年後に言語の生物学の基礎を築くことになるのですが、彼が行なった素晴らしい研究の中には、言語障害と呼ばれていたものに関する研究があります。言語が適正に機能しないような、あらゆる種類の事例です。

彼が行なった研究の一つは、ボストンにあるクラーク・スクールという聾者や盲人のための有名な学校に行って、何が起こっているのかを観察したことです。そして、彼は興味深いことに気づきました。耳が聞こえない子供に対する当時の教義は、読唇術を学ばなければならないというものでした。サインを学ぶことは許されていませんでした。一種の口話法主義の伝統です。レネバーグが気づいたのは、先生が生徒たちを見ているときは、生徒たちも先生の顔を見ているのですが、先生が後ろを向いた途端、生徒たちはお互いにこのようにして〔手を動かして〕サインでのやりとりを始めるということでした。生徒たちは明らかに手話を発明していたのです。それが彼らの自然言語だったのです。先生が見ていないと思った時に、彼らが使ったのが手話だったのです。レネバーグは、そこにまだ我々が理解していないとても重要なものがあると感じたのです。

それから何年も経ってから、人々は本格的に手話の研究を始め、手話は非常に興味深い研究課題となっていきました。他にも注目に値する発見があります。例えば、主導的な研究者の一人であるローラ＝アン・ペティトーの研究です。彼女は今、聾者のための大学であるギャロデット大学で教えています。彼女は幼児による手話の獲得を研究し、まさに驚くべきことを発見しました。例えば小さい子供を育てたことがある方ならおそらく気づいているだろうと思いますが、生後一五ヵ月くらいになると、幼児は代名詞のIとyouについて混乱してしまうことがあります。子供たちは自分自身のことをyouと言い、母親のことをIと言います。これは充分理解できることです。なぜなら彼らの母親は、youとして話しかけている子供に対して、〔自分を主語にして〕I amと言うからです。それで彼らは、「youというのが自分の名前だ」と思ってしまうのです。手話を使う幼児も同じ年齢の時に同じことをすることがわかりました。Iとyouの手話表現が逆になってしまい、幼児は自分自身に対してyouを表わす手話表現を使い、相手に対して自分自身を表わす手話表現を使うのです。このことは極めて印象的です。というのも、幼児たちは身振りとして同じサインを使っているからです。彼らは何かを指し示したい時には正しくそのサインを使います。彼らが言語的サイン(手話表現)としてサインを使う場合、逆に使ってしまうのです。このことは、幼児がサインを反類像的に、すなわち自然の解釈とは反対に使用していることを意味しています。

こういったことが次から次へと発見されてきています。手話は言語のもう一つの形式に過ぎず、自然発生的に発明されたものです。様々な事例が今では記録に残されています。例えば、三人のいとこ同士だった幼児に関する研究があります。年齢は三歳から四歳くらいで、全員が聾者でした。その子たちは一緒に遊んでいました。彼らの親は口話法主義の伝統に則った教育を受けていたので、その子たちをその伝統に従って非常に厳格に教育し、その結果、子供たちは身振りも使いませんでした。歩くときも手を後ろに回して歩くくらいでした。従って、その子供たちは身振りを見ることさえなかったのです。しかしこの子たちが心理学者によって発見された時、彼らが言語を持っていることがわかったのです。彼らは独自の言語を発明し、その言語は音声言語と同じような発達の段階になっていました。これは入力が全くない状態で、つまりゼロ入力での言語発明で、子供たちに本来そなわっているものの中から育って出てきたということなのです。

言語を発明した別の集団の事例もいくつかあります。例えば、ニカラグア手話で、これもまさに発明されたのです。ベドウィンの言語で(確かイエメンだったと思います)、おそらくは極めて最近発明された手話もあります。こうした言語の発明というのは、歩くことと同じように、我々人間にとって自然なことのように思えます。自然にそうするのです。教えることは出来ないのです。ある言語を身につけるとき、そこに少しばかりの変更が加えられているので、学習しているように見えるだけなのです。日本語と英語の間にも違いはあって、私もこうやって通訳を聞かなければならないほどの違いがありますが、それは表面的な違いに過ぎません。手話であろうと音声言語であろうと、東京で話されていようとボストンであろうと、言語は人間の中でただ発達するだけなのです。

質問7　すみません。おそらく数学者の精神風土から生じる質問です。文法構造は持っているが、意味論は持たないような言語は考察の対象になるのでしょうか。例えば、鳥の歌や人間の音楽のようなシステムですが。

チョムスキー　そのトピックに関する研究もなされています。主要な研究のいくつかは、著名な作曲家であり指揮者であるレナード・バーンスタインによって最初に行なわれました。約四〇年前に、ハーバード大学でのチャールズ・エリオット・ノートン講義において行なわれました。彼は、ある種の古典音楽――調性音楽――を分析するために現代言語学を使おうとしたのです。そこからこの種の研究が始められました。この研究は後になって、非常に優れた言語学者であり素晴らしいクラリネット奏者でもあるレイ・ジャッケンドフと、現代音楽の作曲家であるフレッド・ラダールによって続けられました。この二人は共同研究を行ない、バーンスタインの分析を改良しました。それ以来、さらに多くの研究がなされてきています。

私の同僚でMIT言語学科の主任であるデイヴィッド・ペゼツキーもそういった研究をしている一人です。彼はとてもバイオリンがうまく、やはり音楽家である学生と共に研究をしています。主に調性音楽の諸特性が言語の一部である構造を何らかの形で利用しているのかどうかを調べるために、あなたがまさに今おっしゃったことを研究しているのです(調性音楽以外の音楽的伝統に関しては、研究は行なわれていないと思います)。

ところで、文化の違いにもかかわらず、極めて驚くべき事実があります。それは、これまでに発見されているどの人間集団もある種の音楽を持っているということです。調性音楽とは限りません。太鼓でリズムをとったりすることや他の形のものもあります。しかし、どの集団も何らかの音楽を持っているのです。実際、どの集団も踊りを持つということも知られています。これらはまさに普遍的な人間の特性だと考えられます。問題は、ではこれらの特性はどこから来たのかということです。一つの可能性は、こういった特性は、我々を人間にしているもの、すなわち、人間言語の副産物であるというものです。他の生物はこういったものを持っていないのです。チンパンジーは音楽も踊りも持っていません。

質問7・1　しかし歌う動物もいます。鳥の歌はある種の文法構造を持っていますし、クジラも何らかの構造を有する歌を持つと言われています。こういったものはある種の言語ではないのでしょうか。

チョムスキー　鳥の歌は、動物の世界においておよそ人間言語に一番近いものと言えるでしょう。実際、鳥の歌に関する多くの研究が日本で行なわれています。とても興味深いトピックです。まず、異なる種類の鳴鳥がいます。いくつかの種類にとって、歌は単に本能です。ある鳥が成長したときに歌うある特定の歌があって、その歌をその鳥は歌うのです。幼鳥のときに聞いた歌に応じて決まる、ある種の方言を持つ歌もあります。幼鳥が成長する前には、この歌を発することはありません。そしてこういった鳥の歌は、言語の構造の一部にいくらか似かよった構造を持っています。このことは、何かもっと深い特性が存在していることを示しているのかもしれません。

しかしこういった事柄は全て外在化であることに留意してください。もしかすると、人間に固有ではない、何かもっと深い特性が外在化にはあるのかもしれません。この現象は動物の世界の一部に、実際広く観察されますが、あなたが指摘したように、鳥の歌の類いは意味論を持たないということを心に留めておかなければなりません。つまり、内在的な統辞法－意味論が存在していないのです。人間言語の基礎となっているように思われる「思考の言語」というものがこれらには存在しません。人間言語も、こういった外在化の諸特性を確かに持っています。ですから、ある種の鳴鳥に見られるものは、人間に固有なものではなく、動物の世界のある一部に存在する異なる種に共通の諸特性を反映していると考えることも出来るかもしれません。進化の観点からすると、もちろん鳥は我々人間からは非常にかけ離れています。我々にもっと近い生物、例えば類人猿はこのような諸特性を示さないのです。

質問8　私も手話言語学者なので、あなたが手話に興味があることがわかってうれしく思います。私は二五年以上言語学を研究していますが、ほとんどの理論、おそらく理論の九九パーセントは音声言語の研究に基づいています。視覚言語と音声言語の間の様式（モダリティ）の違いはどのように説明されるのでしょうか。

チョムスキー　今あなたがおっしゃったことは、四〇年前にはその通りだったのでしょうが、現在は、手話も他の言語と同じように研究されています。例えば、私の所属する言語学科では、馴染みのない言語に関する授業が毎年出されています。アフリカの言語に関するもの、アマゾンの言語に関するもの、等々の授業があって、その選択肢の一つが手話です。つまり、手話は他の音声言語と同様に一つの言語と考えられているのです。この授業では、パプア・ニューギニアの言語を研究するのと全く同様に、手話の諸特性を研究します。もちろん、手話は他の言語とはいくらか異なる諸特性も備えています。手話は異なったモダリティを持っているので、音声言語にはない選択肢も許されるのです。手話をご存じならば、おわかりだと思いますが、例えば何かを指示する場合、（目の前にある空間内の）いくつかの点を選んで、非常に込み入ったやり方でそれらに言及するわけですが、そのやり方は人間の音声言語における照応と呼ばれるものに類似しています。「He(彼)」(というサイン)は既に言及されたものを指示しますが、音声言語に比べると手話の方がずっと豊かなやり方を示します。さらに、手話は同時演算も許容します。サインで示した何かを、同時に眉毛を上げることによって疑問形にすることが出来ます。音声言語では同時演算は許されず、順番に並べていかなければなりません。そして、手話はどうやら埋め込みをあまり使わないようです。並列と呼ばれる形式をとる傾向があります。手話の場合、次から次へと要素を付加していきます。この点は、音声言語も同様なのですが、音声言語には、ものを埋め込んでいく能力があります。手話が埋め込み能力を持っているかどうかはまだわかっていません。

ところで、私が知る限りまだ誰も研究していない問題で興味深いのは、(第二言語としての手話学習者ではなく)手話の母語話者が手話で思考するかどうかという問題です。我々が考えたり夢をみたりするとき、音声言語を使います。ですから、手話使用者はおそらく手話で考えたり夢を見たりするのだろうと予想します。これは研究されてもよい問題だと思います。実際、これは脳科学的に研究することさえ出来る問題だと思います。手話に関しては多くのことが為されるべきですし、これまでに行なわれてきた研究を見ても、とても興味深い結果が出ています。

質問9　三つの論点を簡潔に提起したいと思います。最初の論点は、(ゲルマン諸語などに見られる語順の〕動詞第二位(verb second)に関するものです。「第二位」という概念は明らかに階層的特性ではありません。それは線状性に関するものですが、同時に、多くの人が主張しているように、「表明」といった言語の根本的諸特性にも関係していますます。従って、この概念は線状性に係わるものであるにもかかわらず、周辺的なものではないのです。二番目の問題は、思考障害を持つ臨床状態にある場合、脳の音韻的領域が特に影響を受けるのはなぜなのでしょうか。言い換えると、人間が通常考えたり、思考の言語において考えたりするために……

チョムスキー　内的に考えるために?

質問9・1　そうです。その場合、音韻論は関係がないのですから、そのままであるはずです。ですから今言ったことは、音韻論も言語の根本的な成分であることを示しているように思われます。

チョムスキー　最初の論点、すなわち、動詞第二位の問題ですが、この現象では、動詞が「二番目」であることに注意してください。動詞が「第四位」の言語など存在しません。動詞第二位に見られるのは、隣接性ということなのです。隣接性はカウンティング

(数を数えること)を要求しません。動詞第二位が持つ実際のメカニズムを見てみると、それは内的併合がもつ様々の可能性から導き出せることがわかります。動詞が二番目に来るのは、それが線的順序を使わない演算の諸特性の反映に過ぎないからです。だから動詞が三番目や四番目に来ることはありません。カウンティングは関与していないのです。二つの要素がたまたま隣同士になるということなのです。

もう一つの論点について言うと、これはまだあまり研究されていないトピックです。まず思いつくのは、自分自身に話しかけている状態においては、我々は音声言語で話しているのだという考えです。しかし、研究を始めてみると、この考えは薄れていきます。いつか試してみてください。内観してみてください。自分自身に話しかけるとき、実際に自分が何をしているか考えてみましょう。その際に心に浮かぶものは断片であって、小さな断片が心に浮かんできているのだということに気づくと思います。これまでの研究によっても、そういうことが見出されてきました。文を組み立てていることもありますが、たいていは文の形にはなっていません。文を組み立てる際も、調音器官に指令を出すことが出来るようになるよりもずっとずっと速く断片が浮かんできます。それはまるで、文がどこかに既に存在して出番を待っているかのような前意識的行為なのです。今では、多くの思考や計画の遂行が意識のレベルを超えて行なわれていることがわかっています。このことは単純な動作についてさえ成り立ちます。例えば、このカップを持ち上げることにしようと私が考えているとしましょう。カップを持ち上げることにしました。そのとき、実際私の脳の中では、カップを持ち上げることを私が決めるよりも前に、何かを持ち上げるための運動器官が活性化されていることになるのです。つまり、私が意識的に何かを決める前にそれが起こるのです。

この事実は意志の自由に対する反論を提供するものとして誤って解釈されてきたのですが、そうではありません。このことは、決心や選択は無意識のもので、意識が及ばないということを単に意味しているのです。従って、内観によって構造依存性を持つ諸規則を発見することは出来ません。注意深く研究されさえすれば、同じことが自分自身に話しかけるという行為についても成り立つのではないかと思います。

質問9・2　質問の内容を少し明確にさせてください。思考の障害についてお訊きしましたが、そこで私が問題にしたのは臨床的状態のことで、その状態の場合、聴覚障害、幻覚や妄想といった症状も出ることがあります。つまり、今あなたが説明された、内的発話に関係する思考障害に特異的に関わることではないのです。問題にしたのは臨床的状態のことで、その状態では特に音韻論に影響が生じるということなのです。このことは、データとしては少なくとも興味深いものであり、驚くべきことでもあると思ったのです。

チョムスキー　外在化は存在しますよ。ちょうど今、我々がそれを使っているように。確かに存在しています。そして外在化がある種の病理症状と相互作用を起こすことはあり得ることです。それは別に驚くべきことではありません。しかしそのことは、中核の言語設計とは全く関係ありません。

内的言語は思考ですが、言語は外在化されます。このことに議論の余地はありません。外在化のプロセスは認知能力の他の側面と相互作用を起こすかもしれませんし、相互作用を起こすことが予測されることもあるでしょう。例えば、発話障害があるとしましょう。そういった障害は、思考に影響を及ぼす可能性があるのと同様に、もちろん外在化にも影響を与えます。

（註　聴衆からの質問の多くは日本語で発せられ、通訳を通してチョムスキー氏に伝えられた。また、チョムスキー氏の回答も通訳を通して聴衆に伝えられた。このような事情もあり、ここに掲載した聴衆からの質問は、第2講演分も含め、全て編集・要約されたものである。）

ソフィア・レクチャーズ　第2講演

二〇一四年三月六日

資本主義的民主制の下で人類は生き残れるか

　昨日の講演では、「我々はどのような生き物なのか」という問いに対して、個人が持つ認知能力——すなわち、我々の内部にあって、思考と行動選択を可能にしている内的資源——の観点からアプローチしました。このアプローチを採るにあたって、私は、現世人類の進化に関する科学的研究の中で最も重要な著作〔第1講演で言及されている Tattersall 2012〕が言うところの「現代の我々人類の本性に関する、唯一の最も驚嘆すべきもの——言語」に焦点をあてて論じました。

　しかしもちろん、人間というのは社会的存在です。そして、我々がどのような生き物になるのかは、各々が生きる社会的、文化的、制度的状況に決定的に依存しています。ですから、自らがその中で生きている社会的制度・取り決めについて、さらに、そのような社会的制度が持つ効果や帰結について考えたいと思うのは当然のことですし、また、人間の諸権利と安寧を守るためにはどのような社会的制度が適しているか、そして人間の正当なる欲求を満足させるにあたってどのような制度がその助けになるのか（これはしばしば「共通善」(common good)と呼ばれます)、こういうことについて考察したいと思うのも、また当然のことでしょう。そして、現在我々がその中で生きている社会的状況を、このような理想と比較対照させて考察したいと思うのです。

議論の出発点として好都合なのはジョン・ステュワート・ミルの古典的著作『自由論』でしょう。その巻頭には、「以下に展開される全ての議論は最上位の指導原理に直接的に帰着する。それは、人間がその多様性を最も豊かに示す形で発展することこそが、絶対的にかつ本質的に重要なことである、とする原理である」という言葉が掲げられています。この言葉はヴィルヘルム・フォン・フンボルトの著作からの引用です。フンボルトは、古典的リベラリズムの創始者の一人であるとともに、人間主義的高等教育機関としての近代的大学システムの創設者の一人でもあります。さて、フンボルトの想定からは、そういった人間の豊かな発展を制約するような制度は、それが何らかの形で正当化される理由がないかぎり、妥当性を欠くものであり、許容されてはならない、という結論が導かれます。これが古典的リベラリズムの中核的原理であり、この原理こそが共通善の本質に関する生産的な探究への途を拓き、さらには、どのようにすればそのような共通善を達成できるのか、そして現存の制度はそれをどのように制約し阻害しているのか、といった事柄に対しての考察の途も拓いたのです。

この題辞、すなわち、フンボルトからの引用部分は、実際のところ啓蒙の時代によく見られた考えを述べたものです。同様の考えのもう一つの例として、アダム・スミスが古典である彼の『国富論』の中で行なった、分業に対する非常にきびしい批判を挙げることが出来るでしょう。スミスの言葉を引用すると、「大多数の人間の知力というものは、必然的に彼らの日常の仕事によって形成されている」のであるから「ごく少数の単純な作業だけで一生を過ごし、しかもその作業の結果もおそらく同じかほとんど変わらないような人は、その理解力を活かす機会を持たない……そしてその結果、一般的に言って、人間という生き物としてそれ以下にはなり得ないほどに愚かで無知になってしまうのである……そして、改良され文明化した社会においては、政府がそれを防ぐ何らかの対策を取らないかぎり、民衆の大部分を占める下層労働者は必ずこういった状態に陥ってしまうのである」(『国富論』第五編第一章第三節第二項)となります。つまり、文明化した社会における政府の課題は、分業を妨げることなのです。したがって、我々が共通善を気にかけるかぎり、分業という非道な政策の影響を克服するための方法を見つけ出さずにはいられないはずです。これは、教育制度から労働条件に到るまであらゆる領域で行なわれなければなりません。そして、全体として、人びとがその知力を発揮し、人間的発展が多様性を最も豊かに示すような形で涵養される、という古典的リベラリズムの中核的原理が実現する機会を提供しなければならないのです。

分業の大いなる効用を賞賛するアダム・スミスの言葉は極めて広く引用されているの

にもかかわらず、私がいま引用した、分業に対する彼のきびしい批判は、事実上全く知られていません。例えば、シカゴ大学が刊行した二〇〇周年記念版においては、私が上で引用した一節は索引に含まれてもいません。どうやら、現代の教養によって歪められた色眼鏡で『国富論』のテクストを見たとき、こういった箇所はその存在を認めてもらうことすら出来ないのです。しかしそれは実際に存在していますし、スミスの思想の中心的部分を占めているのです。そしてこういった考えは、古典的リベラリズムの創設原理である啓蒙の時代の理想について多くを教えてくれる例証となっています。スミスのこういう考え方は、実のところ、現代の教養によって提示されているそのイメージとは非常にかけ離れたものなのです。

スミスはおそらく、上で述べたような人道的な政策を取ることはさほど困難ではないはずだと感じていたのでしょう。もう一つの主要著作である『道徳感情論』を、彼は次のような所見を述べることによって始めています。「いかに人間が利己的であるように見えようとも、人間の本質の一部として、他の人の運命に関心をいだき、そして他の人の幸福を自分にとってもかけがえのないものと感じる何らかの原理が明らかに存在している。たとえ自分が得るものが何もなくても、他の人の幸福を見るだけで嬉しいと感じる何かがあるのである」(『道徳感情論』第一部第一編)。スミスは、人間の本質が持つこのような側面を基礎にして自分の思想を組み立てました。そして、彼が「人類の支配者たちの卑しい格言(vile maxim)」と呼ぶ「全ては自分たちのために、他の人たちには何ひとつ渡さない」という考え方と、人間の本質が示すいま述べた側面とを対比させています。人間が本来持つ心優しい部分が、人類の支配者たちの病理を克服することを可能にするのではないかとスミスは明らかに願っていました。

今日では、「卑しい格言」を説く人たち、つまり所有的個人主義の教義を説く人たちにとって、アダム・スミスは偶像となっていて、その偶像には、現代のネオリベラリズム(新自由主義)の中核的教義である「卑しい格言」に従う「経済人」のイメージがまとわりついています。しかし、本当のアダム・スミスは、こういった考え方に対して真っ向から反対していました。我々が今日の「人類の支配者たち」の教義や彼らが構築してきた社会秩序――「現存する資本主義的民主制」と呼ぶことが出来るもの――を把握したいと思うのならば、こういう点をしっかりと理解しておくことが重要なのです。

真のアダム・スミスが現代の教義に都合がよいようなイメージに置き換えられてしまっている例は、これだけではありません。もっと驚かされるような例として、アダム・スミスの有名な言葉である「見えざる手(invisible hand)」という語句の使われ方があります。この語句は実際にはスミスの著作の中にごくまれにしか現れません。『国富論』の中では、ただ一回出てくるだけなのです。スミスは、イギリスの資本家たちが輸入、輸出、投資などの取引を国外に移す可能性を考察しました。もし資本家たちがそうしたら、彼らは利益を得るでしょうが、イギリスの社会は悪影響を受けることになります。しかしそういうことはおそらく起こらないだろう、とスミスは論じます。なぜならば、イギリスの資本家たちは自らの国で投資をしたり売買をしたりすることを好むであろうから。したがって、あたかも「見えざる手」によるかのように、イギリスは経済的リベラリズムの弊害を逃れることが出来るだろう、というわけです。つまり、スミスは、現在では彼の名前の下に称賛されているネオリベラリズムによるグローバリゼーションに対する反論を提起しているのです。古典派経済学のもう一人の創始者であるデイヴィッド・リカードウも同様の結論を述べています。こういった事実は、現在におけるイデオロギーの下で無視されている——というよりも、むしろ否定されているのです。

「見えざる手」という語句は、あと一回、スミスのもう一つの偉大な著作である『道徳感情論』に出てきます。ここでスミスは、「高慢で冷淡な地主」でさえも、貧者の必需品には配慮するものであり、したがって、「見えざる手」が「生活必需品のほぼ等しい分配、つまり、大地がその住民すべてに均等に分けられていたならば達成されていたであろうもの」が実現されるように取り計らうのだ、と論じています。要するに、スミスは、人間の平等に対する自分のコミットメントを表明し、また、人間が持つ優れた本性が、残忍な支配者たちでさえも——あたかも見えざる手によって導かれるように——平等な社会の結果を求めるようにしていくであろう、という彼の希望を表明しているのです。もちろんこれは甘い願望かもしれません。しかし、こういった態度は古典的リベラリズムの実際の思想内容を実によく教えてくれるものなのです。

「見えざる手」という語句の関連する意味でのスミスの用法は、この二つで全てです。今日、この語句が使われるときに主張される内容とは全く違っていることがわかると思います。

本当のアダム・スミスや、ジョン・ステュワート・ミルのようなスミスの卓越した後継者たちの思想においては、社会に対する二つの明確に対置されたビジョンが見受けられます。一つは実際の古典的リベラリズムです。古典的リベラリズムは「人間がその多様性を最も豊かに示す形で発展することこそが、絶対的にかつ本質的に重要なことである」とする、最上位の指導原理にその基礎を置き、この理想を達成することは可能であると考えます。なぜなら、我々人間は共感(同感)と連帯という自然の本能を持っているからです。これが一つのビジョンです。それと対照的なビジョンは、支配者たちの「卑しい格言」に屈するような社会秩序を要求します。すなわち、人間は自分の利益を計算することによってその行動が規制され、人間同士の相互関係は利己的競争心によって規定されているという原理です。これは近代の経済理論の中核的原理であり、人類の支配者たちが説くネオリベラリズムの教義でもあります。

これらの相対立するビジョンは文化のあらゆる場所で認められます。例えば、ダーウインの著作のすぐ後に現れた進化の理論においても、これら二つのビジョンを見ることが出来ます。一つの考え方は、アナキズムの理論家・活動家であるピョートル・クロポトキンによって展開されました。ちなみに、クロポトキンは優れた博物学者でもありました。ちょうどスミスと同じように、彼は進化の駆動因は相互扶助であると論じています。つまり、アダム・スミスの「共感」や「他者の幸福を願う気持ち」と似たような考えです。これが進化に関する一つの考え方です。これとは対照的な考え方は、過酷な世界における「最適者生存」というハーバート・スペンサーの考えです。ここでは、自然は「血塗られた赤い歯と爪」に象徴される存在なのです。この後者の考えが、資本主義の成長と共に生き残ってきたのです。他の多くの側面と同様に、この面においても現代の資本主義は、初期の創始者たちの思想と全く正反対のものになってしまっています。そして、創始者たちの本当の思想は現代資本主義とは違うところで生きているのです。アナキズムの伝統の中核を成す、左派リバタリアンの思想およびその活動こそが、古典的リベラリズムの真の継承者と言えるでしょう。ここでも、事実は通常主張されていることとは全く逆であることがわかります。

産業資本主義が社会に対するその革命的影響を持ち始めるに伴い、これら二つのビジョンは大衆文化の面においても直ちに現れてきました。このことは、アメリカ合衆国では一九世紀中葉のニューイングランド東部で起こりました。当時の新しい産業資本主義システムは、もちろん、「卑しい格言」に基づいていました。しかし、それは、工場労働の必要のために駆り出された労働者たち――ボストンから来たアイルランド系の職人たちとか、農場から来た若年の女性たちであるとか、そういった人たち――によってきびしく糾弾されました。こうした労働者たちは自分たち自身の報道手段を持っていました。この時代はアメリカにおいて――もしかしたら、どの社会を考えても――歴史上一番自由な報道が存在していた時期だったのです。彼らは、「時代の新しい精神――つまり、自分のこと以外は無視して富を得よ」という、全ての人に拡張された形での「卑しい格言」、すなわち、現代のネオリベラリズムの根底にある、利己的競争の教義を厳しく糾弾したのです。独立系の労働新聞から彼ら自身の言葉を引用してみましょう。産業システムは、労働者が「外国の独裁者[不在地主]の控えめな下僕になることを――つまり、ご主人様のために必死で働く、言葉の厳密な意味における奴隷そのものになることを」要求している。それに対して、労働者たちは、工場で働く者こそが工場を所有すべきである、と主張します(ちなみに、同じ主張はジョン・スチュワート・ミルによってもなされています)。

彼らは賃金制度に対しても強く反対しました。自由な生産者が自分の生産物をある価格で売却するとき、その人は自分の人格を維持することが出来る。それに対して、ある人が自分の労働を賃金と引き換えに売却しなければならないとき、その人は自分自身を売るのであり、奴隷——よく使われる言葉で言えば「賃金奴隷」——になることによって、自分の人間としての尊厳を失うのである、と言うのです。私はマルクス主義の文献から引用しているわけではありません。私が引用しているのは、産業革命の初期に台頭してきた労働者階級の中核部分の意見なのです。彼らは、賃金労働はそれが一応、一時的なものであるということになっている点のみにおいて、かろうじて動産奴隷(制度)と異なっているに過ぎないと見なしていました。この考えは広く受け容れられ、共和党のスローガンの一つにもなりました。例えば、エイブラハム・リンカーンもこの考えを掲げていました。ですから、賃金労働に対するこういった考えを人びとの頭から追い払い、代わりに「卑しい格言」に導かれた現代のイデオロギーにおける経済人の概念、すなわち、「時代の新しい精神——つまり、自分のこと以外は無視して富を得よ」という考えを人びとに植えつけるために、過去一五〇年の間には大変な労力が注がれたのです。しかしながら、こういった大々的なプロパガンダにもかかわらず、個人の尊厳と自由に対する人びとの思いは決して消え去ることはなく、常に変わらず——しばしば思いもかけない形で——湧き上がってきます。

古典的リベラリズムは資本主義の下では生き残れませんでした。資本主義の浅瀬に打ち上げられ難破し、消え去ってしまった。しかし、古典的リベラリズムが持つ人間主義的コミットメントと願望は決して死なず、もっと適正な、そしてもっと自由で人間的な社会を求める闘争へと民衆を駆り立て続けてきました。この古典的リベラリズムの真っ当な継承者は、様々な形を取って拡がっている左派リバタリアン・アナキズムの伝統です。上で述べた二つのビジョンの間の衝突は、今日に到るまで続いています。ある時は、啓蒙主義と古典的リベラリズムの「最上位の指導原理」が前面に出され、またある時は後退の時期が来て「卑しい格言」が優勢になります。おおよそ過去一世代くらいの間は、この後退の時期の一つであり、我々は現在そのまっただ中に生きていると言えます。それは、地球上の人びとに対するネオリベラリズムの攻撃が過去一世代続き、「卑しい格言」が跋扈しているだけでなく、教義として高く掲げられている時代です。マーガレット・サッチャーが言った有名な言葉、「他に選択肢はない」が示すように、我々は「卑しい格言」に屈服するしかないというわけです。

ネオリベラリズムによる攻撃は多くの形態で行なわれますが、共通の特徴があります。アメリカ合衆国の場合を考えてみましょう。これは一番重要な事例です。なぜなら、アメリカ合衆国は世界の歴史上、最も富裕で強力な国であり、また、もっと貧しくて脆弱な社会に押しつけられるときにしばしば「ワシントン・コンセンサス」と呼ばれる現代の教義の主な発信元でもあるからです。現代イデオロギーにおいて掲げられている「卑しい格言」について、アメリカ合衆国は豊かな洞察を与えてくれます。

ということで、今日のアメリカ合衆国を見てみましょう。何千万もの人びとが働きたくても職がない状態にあります。多くの人びとが絶望して労働市場から退出してしまってもいます。公式の失業率は非常に誤解を招きやすいものです。なぜなら、職探しを諦めてしまっている人たち――この人たちの数がものすごく多いのです――のことは、失業率の計算に入っていないからです。雇用を提供するための資源は充分にあるのです。しかし、それらは手の届かないところに隠されてしまっています。あり余るお金を持っている超富裕層と私企業のところにです。特に、国内経済どころか下手をすればほとんど世界経済さえ破壊しかけた経済危機を作り出したにもかかわらず、実に手厚く取り扱われて大きな報酬を得ている大銀行のところにです。また反面、なされなければならない仕事のほうも山ほどあります。インフラは崩壊しかけていますし、学校も、建物の修理や教師の補充が絶対に必要な状態です。交通網やエネルギー網も全面的に作り直さなければなりません。様々な工事から科学研究に到るまで、あらゆるところで再構築が必要なのです。

しかしネオリベラリズム、つまり「現存する資本主義」はあまりにひどい機能不全を起こしているので、仕事をする意欲がある人たちの力を、必要とされている仕事のために使うことが出来ないのです。つまり、もし経済がごく一部の特権的な富裕層の強欲のためにではなく、人びとの必要を満たすように設計されていたならば容易に手に入るであろう資源を用いることが出来ないのです。社会経済システムの欠陥をこれ以上深刻に告げる事態を考えることは困難でしょう。

この機能不全の経済は、富の著しい集中を伴っています。それは、ほとんど歴史上例がないくらいの富の集中です。集中した富は直ちに政治力に転換します。そして、その政治力をもってして法律を通し、富と政治力の循環を前進させます。そうして、より一層の機能不全を伴う社会秩序が生まれるのです。不平等は歴史的レベルに達しています。過去一〇年間で、経済成長の成果の九五パーセントが人口の一パーセント（実際には、さらにその中のごく一部）に渡っています。その間、一般の民衆は停滞あるいは景気低迷に直面してきています。アメリカ国内の実質所得の中間値は二五年前のレベルを下回っています。特に男性の実質所得中間値は、一九六八年のレベルを下回っています。これがネオリベラリズムの時代の意味です。生産高の（総所得に対する）労働分配率は第二次世界大戦以降最低のレベルまで落ちました。資金の乏しい産業部門は深刻な打撃を受けました。富裕な先進国のフォーラムと言われている経済協力開発機構（ＯＥＣＤ）に加盟する先進国の中でアメリカは、いくつかの尺度を用いると、トルコを別にすれば一番高い貧困率を有しています。もっとも、このことはおそらくそれほど驚くべき事実ではないのかもしれません。なぜなら、このネオリベラリズムの時期に、アメリカは社会正義の面においても最低レベルなのですから。アフリカ系アメリカ人の場合、直近の経済危機の間に家庭が持つ財産は事実上消失してしまいました。過去の暗い負の遺産である奴隷制は、アメリカ社会が持つ「原罪」の一つですが、多少状況は改善されたとはいえ、決して真の意味で克服されてはいないのです。そして他のアメリカ人にとっても状況はそれほど良いものではありません。大まかにいってアメリカ人の四分の三は、給料日から給料日までのぎりぎりの生活を強いられています。緊急時のための貯金は全くないか、ほとんどないような状態です。これが世界の歴史上、最も豊かで強力な社会、比肩するものがないほどの優位性を保っている社会が、一般大衆に対するネオリベラリズムの攻撃を受けているときの状況なのです。

こういうことは、地震のように単に自然発生的に起こったというわけではないのです。これらは、過去一世代に亘って推し進められた極めて意図的な政策の結果なのです。「全ては自分たちのために。他人には何もやるな」という人類の支配者たちの「卑しい格言」に主導された政策です。そしてサッチャーの説話に反して「他にも選択肢はある」と、ノーベル経済学賞受賞者のジョゼフ・スティグリッツは書いています。しかし彼は続けて次のように言っています。「それらの選択肢をエリートたちの自己満悦の中に見つけることは出来ない。彼らの所得や持ち株の株価は再びぐんぐんと上昇してきているのだから。ある人たちだけが永遠に低い生活水準に合わせていかなければならないようである。残念なことに、この、ある人たちというのは、実は大多数の人たちのことなのである。」〔Stiglitz 2014〕要するに、「卑しい格言」が効力を発揮しているということです。

こういった展開を資本主義や自由市場という仕組みのせいであると捉えるべきではありません。自由市場の原理などとは全く反対に、支配者たちを市場による規律から守るために、慎重に政策が練られているのです。一つの劇的な例として――もちろんこれが唯一の例などではありませんが――経済における支配的な勢力である大銀行を取り上げてみましょう。ネオリベラリズムの時期に金融機関はおびただしく巨大化し、それらの機能も根本的に変わりました。一九五〇年代および一九六〇年代に高度成長の時代がありましたが、その時期には銀行は銀行らしく振る舞っていました。預金を預かり、借り手が何かをするためにお金を貸す。借り手はそのお金で家を買ったり、子供を大学にやったりしていました。銀行業務は規制されていましたし、規制されていたがゆえに金融危機も起こりませんでした。この一世代の間に、こういったことは全て変わってしまいました。いまや金融機関は大規模な投機と市場や通貨の複雑な操作に関わっています。そして、特殊な(非標準的な)金融商品を駆使して実際の操作を隠しているのです。ネオリベラリズムの教義の下、金融に関する規制はほとんど撤廃されてしまっています。これらの当然の帰結として、過去三〇年間、定期的に金融危機が起こるようになりました。レーガンの時代に始まって現在に到るまでです。そして、危機の度合いはどんどん深刻になってきています。その間、金融機関は規模において極端に肥大化し、法人利益のほぼ四〇パーセントを占めるほどになってきています。これは、金融機関が誘発した、一番最近の、そして最も深刻な経済危機である二〇〇八年の危機の直前の数字です。

ネオリベラリズムの時期においても経済成長は続いてきました。以前のペースほどではありませんが、それでも成長は持続しています。しかしこの成長は、繰り返されるバブルによって維持された、多分に人為的なものなのです。レーガンの時代の貯蓄貸付組合(S&L)バブル、クリントンの時代のITバブル、そして、現在でも我々がその被害を受けているブッシュ時代の住宅バブルなどを思い出してください。これらのうちの最後のバブルがはじけたとき——当然、バブルは常にはじけます——それは世界経済の多くを巻き込む非常に深刻な金融危機を引き起こしました。同時に、アメリカ国内の多くの人びとにとっては恐慌に近いような状況が続いたのです。二〇〇八年に始まったこの金融危機によって、生産額にして二四兆ドルが失われたと議会予算局も推定しています。

金融部門のこういった行状は、損害を負担させられる国民にとっては災難ですが、彼ら自身にとっては大変な収益を生んできているのです。経済危機はほとんど全てウォール・ストリートの慣行——しばしば犯罪——によって引き起こされるのですが、こういうことを行なっている犯罪者たちは常に納税者によって救済されることになっています。いま現在もこの状況は変わっていません。

危機を引き起こした者を報奨する主要なメカニズムは、非公式に「大きすぎて潰せない」と呼ばれている政府による(預金)保険政策です。この政策による保証は、直接的な救済をはるかに超えていて、低利による融資、人為的に高く設定された格付け、等々の多くの方策に及んでいます。その規模は巨大です。国際通貨基金(ＩＭＦ)が最近行なった調査によると、主要銀行の事実上全ての利益は政府による保険に起因しています。その規模は――ビジネス誌の分析によれば――年に八三〇億ドルに上るということです。その結果として、最近の経済危機を引き起こした張本人たちがかつてないほどに裕福になり、強い力を持つようになっているのです。政府の保険政策は、当然のことながら危機の過小評価に繋がります。金融機関は、本来取るべきリスクを超えたリスクを取るようになるのです。どうせ政府による報奨があるのですから、やらなくては損だというわけです。こういう態度を取ることによって、次の経済危機が起こりやすくなりますが、そんなことは支配者にとっては問題ではありません。なぜなら、ネオリベラリズムの教義の下で、納税者が彼らの富と特権を保証してくれているからです。こういったことと自由市場との関係を説明することなど出来やしません。何の関係もないからです。

一番最近の経済危機の後、ノーベル賞受賞者を含む何人かの卓越した経済学者がネオリベラリズムの時期の「カジノ経済」において金融機関が持つ広範囲の影響について疑問を投げかけました。金融機関は経済における支配的な要因であるにもかかわらず、その影響力については経済学者によってあまりきちんと研究がされてこなかったと指摘したのです。そして、きちんと研究を行なえば、金融機関が経済にとって有害であることが示されるであろうと示唆したのです。もっと厳しい意見を持っている人もいます。英語圏においておそらく一番尊敬されている金融関係の記者はロンドンの『フィナンシャル・タイムズ』のマーティン・ウルフでしょう。彼は次のように結論づけています。「制御不能になっている金融部門が現代の市場経済を内側から食いつぶしそうになっている。ちょうど、ベッコウバチの幼虫が、自分がその中で育ってきた宿主を食いつぶすように。」非常に鋭い批判です。

金融機関を市場による規律から保護しているということは、現存する資本主義が本来の資本主義と異なっている多くの点の一つにしか過ぎません。他にも相違点はたくさんあります。アメリカ合衆国の経済史を見ればそれがよくわかります。植民地からの解放直後のアメリカは、アダム・スミスを含む当時のイギリスの偉大なる経済学者たちから助言を得ていました。「健全な経済学」と呼ばれる原則に従うように助言されていたのです。これは、今日、弱者や無防備な人びとを救済するために出される処方箋とほぼ同じ内容のものです。しかし、アメリカは既に植民地であることから解放され自由であったので、この助言を完全に拒否しました。アドバイスされたことと逆のことをやったのです。イギリスの優れた工業製品によって国内産業が破壊されないように、非常に高い関税を設定したのです。最初は繊維産業に、そして後には鉄鋼や他の産業に到るまでそうしました。こうやって、アメリカ合衆国は産業国家になったのです。（ちなみに、もちろん同じことが日本にも言えるでしょう。）こうして高い関税をかけ続けるうちに、経済発展を推し進めるために広範な政府介入が行なわれました。これらの介入のいくつかは相当過激なものでした。例えば、奴隷制、広範囲に亘る市場介入、領土の征服と現地住民の殺戮、大がかりな国家事業の展開、等々がありますが、生産システム自体の内部における介入もありました。こうして、大量生産、品質管理、労務管理、等々の仕組みで一九世紀に世界中を驚嘆させたアメリカ型製造システムは、主として国家産業——軍需産業——によってその発展の先鞭をつけられたのです。偉大な平和主義者として知られているアンドルー・カーネギーはアメリカ海軍と結んだ商売上の色々な契約のおかげで、最初の一〇億ドル企業——USスティール——を築くことが出来たのです。ラジオ等の先端技術も、やはり国家のシステムの中で開発されました。

一九四五年までには、アメリカは全ての競争相手のはるか先を行くようになっていましたから、自由貿易を多少は許容してもいいと思うようになりました。これは、ちょうどその一世紀前のイギリスと同じです。イギリスも、やはり大がかりな国家介入と市場原理違反によって、他の国の経済をはるかに凌駕するようになっていたのです。アメリカも同じような状態に達しましたが、イギリスと同様に、自由貿易を許容すると言っても、自国の法人が持つ力の優勢が保証される限りにおいての自由貿易です。

過去五〇年くらいの間を見ると、それ以前にも増して、国家部門が先進的経済の発展を精力的に主導してきているのがわかります。コンピュータとインターネット、マイクロエレクトロニクス、人工衛星、海軍が開発したコンテナを用いた国際貿易、民間航空機、医薬品開発、等々、思いつくもの全て——経済のほとんど全ての側面——と言ってもいいくらいです。概して、難しい技術革新を要求するものやコストがかかる研究開発などは国家部門が担ってきたと言えます。そうすれば、コストやリスクは納税者によって負担されることになるからです。こうして作られたものは、後の段階で私的事業に手渡され、そこで市場開発や利益追求がなされるわけです。こういったこと全ては、市場経済のあるべき姿からはおよそかけ離れたものです。

昨日だか今日だかの報道で、ビル・ゲイツがまたもや世界第一の億万長者になったことが報じられました。これなどが典型的な例です。ゲイツは確かにマーケティングにおいて革新的なことをしましたが、それは何十年にも亘って国家部門がコンピュータやソフトウエア等に関して行なってきた研究開発の成果に基づいているのです。そして実のところ、ゲイツが手にしている利益は独占から来ているのです。市場原理とは全く反対に、マイクロソフトはオペレーティング・システム(OS)に関して事実上の独占状態です。我々はほとんど皆ウィンドウズを使っていますが、これは独占事業なのです。こうやって金を儲け、億万長者になるのです。最初に国家に——つまり納税者に——研究開発をやらせ、その後でうまく市場展開をする。そして独占のための力を得て儲ける。あとは一気に大金持ちです。こういった過程と市場メカニズムとの関係はほとんどありません。

そしてもちろん、アメリカだけがこういった側面を持っているわけではありません。アメリカは以前のイギリスが辿った道をなぞっているだけですし、実際、日本を含む全ての先進経済国は何らかの形で同じようなやり方を採ってきました。市場による規律とは弱者や無防備な人びとに対するものであって、支配者に対するものではないのです。支配者たちは充分な力を持っているので、市場の猛威から自分たちのことをちゃんと防御しているのです。

ネオリベラリズムによる攻撃によって犠牲になったものがもう一つあります。民主政治です。選挙にかかる費用はネオリベラリズムの時期にものすごい勢いで高騰しました。今や選挙での当選は、事実上、金銭で買われているのです。この件に関してはアカデミックな政治学の分野で良い研究があります。その研究では、選挙運動に対する献金が政策の選択に関するとても優れた予測要因になっているということが示されています。つまり、ある候補者の選挙対策責任者がどこから資金調達をしたかを見ることによって、その候補者がどういう政策を支持するかを相当程度予測することが出来るのです。そしてもちろん、選挙運動への献金は、富を集中的に握っている富裕層から来る場合が圧倒的多数です。ということは、政策に関する結論は明らかでしょう。所得階層の下部に属する人びとは、すなわち人口のほぼ七〇パーセントを占める人びとは、今では事実上公民権を剝奪されているのと同じです。彼らがどんな政治的・政策的志向を持とうとも実際の政策には何の影響もありません。完全に無視されているのです。所得階層の上の方になっていくと、その人が持つ政策への影響力はゆっくりと増していきます。そして、所得階層の一番上には、政策を事実上思うがままに設計している人たちが居るのです。世論調査がはっきりと示しているように、内政および外交上の非常に重要な論点に関して、一般市民の態度と政策との間には巨大なギャップがあります。具体的な例を示してこの事実について論評することは時間の都合で今日は出来ませんが、このギャップは実に劇的です。ですから、ネオリベラリズムの時期に形を成してきたシステムは、デモクラシー(民主主義)ではなく一種のプルートクラシー(金権主義)なのです。

ネオリベラリズムによる攻撃は他のところでも同様の影響を及ぼしてきました。今度はヨーロッパを例として取り上げてみましょう。ヨーロッパが現代文明に対してなした偉大な貢献は、主に第二次世界大戦後に発展してきた社会民主主義的福祉国家です。この社会民主主義的福祉国家が、ネオリベラリズムの使徒たちの直接の攻撃対象に今やなっているのです。彼らは緊縮政策を強要しています。しかし、景気後退期における緊縮政策は経済にひどい悪影響を及ぼし——このことはＩＭＦのエコノミストたちでさえ認識し、論証してきています——福祉国家の施策の基盤を台無しにしてしまうのです。福祉国家の施策は支配者にとって歓迎せざるものだから、こういうことをするのです。こうして、社会民主主義的福祉国家は消え去ろうとしています。

さらに緊縮政策は、機能している民主主義も危うくします。これも全てネオリベラリズムの教義に則ってのことです。ヨーロッパの各国政府の政策は、ブリュッセルに拠点を置く「トロイカ」と呼ばれる官僚たちによって今や決められています。トロイカは、選挙による選別を経ていない欧州委員会（ＥＣ）、欧州中央銀行（ＥＣＢ）、そしてＩＭＦから成っています。主流派経済学者のマーク・ブライスは、ユーロ圏では「まずドイツ人が指令案を書く」（この場合、「ドイツ人」というのはドイツの民衆という意味ではありません。ドイツの銀行——ドイツ連邦銀行——のことです）、そして「欧州委員会がそれを実行し、欧州中央銀行が施策の促進を図ることによって大々的な緊縮政策がきちんと実行されるようにする」と言っています。その結果、ヨーロッパの多くの人びとと社会秩序に対して酷い影響が巻き起こるのです。『ウォールストリート・ジャーナル』は、ヨーロッパのどの国でどのような政府が選ばれたとしても——右派の政府だろうが左派の政府だろうが——みんな同じ政策に従う。なぜなら、政策は全てブリュッセルで決定されているのだから、と指摘しています。二〜三年前に、ギリシャのパパンドレウ首相が、トロイカが指示してきた政策についての国民投票を提案したところ、あらゆる層からきびしく糾弾されました。大衆が意見を表明する機会を作ってもいいのではないか、とおとなしく提案しただけで酷い非難を受けたのです。こんな状況は近代民主主義とは相容れません。大衆の役目は、堪え忍んで(もし可能ならば)生き残ることだけであり、一方で、ヨーロッパや他の地域での経済危機の発生に主な責任がある銀行は、彼らが行なった犯罪行為に対して充分な報酬を得ているのですから。

ヨーロッパにおけるこういった政策は、継続的な景気後退を引き起こしています。この景気後退の期間は、実際に一九三〇年代の大恐慌さえ上回るくらい長くなってしまっています。政策の影響はヨーロッパでの方がアメリカよりも苛酷な形で出ています。アメリカでは中央銀行——連邦準備銀行(FRB、Fed)——が、興味深いことに、ヨーロッパでそれに対応する機関よりも逆進性が低い政策を採用してきたのです。これは珍しいことです。さて、先に引いた経済学者マーク・ブライスはさらに、こういったことの代償は所得分配の一番下に位置する人びとが払っていると指摘しています。彼の言葉を引くと、「こうした人びとは投票にもあまり行かない。お金も——持っていたとしても——あまり持っていない。選挙においても重要性がない。だから、所得が上位三〇パーセントに入る人たちは緊縮政策の下でも問題なくやっていける。結局のところ、誰か別の人たちが緊縮政策の代償を払ってくれるのだから。そしてさらに良いことに、その誰か別の人たちというのは、自分たちが全然知らない人たちなのだ。」要するに、典型的な階級戦争(class war)が極めて効果的な形で生じているということです。

ネオリベラリズム政策の影響は、他のところでも似たようなものですが、さらに酷い形で出ています。例えば、一九八〇年代にグローバル・サウス(開発途上国)の多くの国々はワシントン・コンセンサス、すなわちIMFによる構造調整プログラム下に置かれました。この構造調整プログラムというのは、所得尺度の最下層の部分に富裕層の繁栄を保証することを強いるという点で、アメリカやヨーロッパなどの豊かな国々で執行されたネオリベラリズムのプログラムと同様のものです。構造調整プログラムにおいては、人口の大半をなす貧困層の生活水準は犠牲にされ、そこから絞り上げた金がリスクの高い(したがって、高い利益を生む)融資を通して外国系銀行に流れ込んだのです。貧困層から富裕層への慈善事業とも言うべきこの政策を実行するための道具として、IMFがあったのです。IMFもそのことは自覚していました。IMFのアメリカ選出の理事であったカレン・リサカースは、IMFとは債権国のための強制執行役である、と実に正確にこの機関の性格を述べています。

ネオリベラリズム政策が破滅的な結果を生むこともあります。ユーゴスラビアとルワンダがその例です。これらの国は両方とも一九八〇年代に構造調整プログラムの適用を受けました。構造調整プログラムは、案の定、一般の民衆に苛酷な負担を強いることになり、その結果、それまでは何とか収まっていた民族間の摩擦に火を付けてしまいました。一九九〇年代初頭には、民族紛争によって凄まじい残虐行為が巻き起こりました。でも、支配的イデオロギーであるネオリベラリズムによれば、そういったことに欧米諸国は何の責任も負う必要はないのです。

この新しい正統派イデオロギーの一九八〇年代におけるもっとも忠実な追従者は、ラテンアメリカの諸国でしょう。そのおかげで、これらの国々は二〇年間におよぶ景気停滞と没落に苦しんだのです。過去一五年の間に、南米では歴史的な意義がある事件が起きました。ヨーロッパからの征服者が到着して以来五〇〇年間で初めて、南米の国々は欧米の支配——過去一世紀においてはアメリカの支配——から実質的に自由になったのです。これらの国々は統合の方向に動き始めました。統合することがアメリカからの独立の前提だからです。そして、これらの豊かな資源を持つ国々において、ごく一部の支配層をなすヨーロッパ系のエリートたち——しばしば白人のエリートたち——が、国民の圧倒的多数の貧困の中でいかにして大きな富を享受しているか、という衝撃的な内政上の問題を提起し始めたのです。

こういった動きのいくつかの成果は、(一～二ヵ月前に出た)国連のラテンアメリカ経済委員会による最近の調査にまとめられています。それによると、広範な改革はブラジル、ウルグアイ、ベネズエラ、および他のいくつかの国々においては、著しく貧困を減少させました。これらの国々ではアメリカの影響が——ということはネオリベラリズム的コンセンサスの影響が――あまり強くないのです。しかし、グアテマラであるとかホンジュラスであるとかの、アメリカによる支配が続いている国々――つまりネオリベラリズムの攻撃を受けている国々――では、貧困は目を覆うような状態のままです。ラテンアメリカにおける最悪の記録はメキシコにあります。メキシコは比較的豊かな国なのですが、貧困の状況は深刻です。二〇一三年(これが直近の記録です)には、一〇〇万人が新たに貧困層に加わったそうです。過去二〇年の間、一人当たりの所得の伸びにおいてメキシコはほぼ最低レベルです。これは、それ以前のメキシコの急成長と比べれば全く逆の現象です。いったい二〇年前に何が起こったのでしょう?

二〇年前、メキシコは北米自由貿易協定(NAFTA)に加わったのです。今年でちょうど二〇年目になります。この「北米自由貿易協定」という言葉の中で、正確なのは「北米」だけです。確かに、このNAFTAは、メキシコ、カナダ、アメリカ合衆国という北米の国々を結びつけています。でも、NAFTAは間違いなく「協定・合意」ではありません。少なくとも、民衆がその国の一部だとするならば、関連国間の「協定・合意」は成り立っていません。そもそも民衆はNAFTAの内容をほとんど知らされていないのですが、彼らが知らされている限定された知識の範囲内においては、関連国の民衆は一般的に言ってNAFTAには反対でした。さらに、NAFTAは「自由貿易」に関する協定でもありませんでした。全くその逆です。NAFTAの中核的部分は非常に保護主義的なのです。特に、特許に関する規則などは前例がないくらい厳しい内容になっています。それによって、製薬会社等の産業が大幅に儲けられるようになっているのです。実際のところ、NAFTAという条約のほとんどの内容は「貿易」に関するものでさえないのです。むしろ、NAFTAというのは、広範囲に亘る投資家の権利に関する協定なのです。そしてこのネオリベラリズム的条約は、それに参加している三ヵ国全ての働く人びとに対して害悪を与えるという、尋常ではない特徴を持っています。これは大変な功績です。そしてこのことは、この条約の背後にあるイデオロギーの下で、絶大な成功として讃えられているのです。確かにある意味、成功ではあります。例えば、この間、メキシコを含む三ヵ国における億万長者の数は一気に増えたのです。今やメキシコにはカルロス・スリムという、大企業のオーナーである世界第二の大金持ちがいるくらいですから。

こういった状況は、いわゆる自由貿易協定と言われているものに典型的なことなのです。ですから、そういった協定は大体において秘密裏に交渉されます。しかし完全に秘密裏にかと言うと、そういうわけではありません。これらの協定の詳細な条件を書き込んでいく役割を担っている企業弁護士であるとかロビイストたちは中味を知っているのです。このことの帰結は明らかでしょう。例えば、現在交渉が進んでいる最中の環太平洋経済連携協定(TPP)についても、いま言ったことはそのまま当てはまります。実際に協定の細部を詰めていく役割を担っている企業弁護士やロビイストたちを除けば、交渉は秘密裏に進んでいるのです。実は、ＴＰＰの一部分はウィキリークスによって暴露されました。その結果、予想通りのことが行なわれていることがわかりました。つまり、ＴＰＰも他の自由貿易協定と同じで、自由貿易などというものは守っておらず、富裕層を利するようになっているということです。ノーベル経済学賞受賞者で元世界銀行チーフエコノミストのジョゼフ・スティグリッツが次のように述べていますが、状況に関する充分な知識がある人でスティグリッツの結論に異を唱える人はほとんど居ないでしょう。協定についての交渉をしている人たちは法人の利益を代表しているのだから、「来たるべき交渉の過程で、普通のアメリカ人のためになるようなものが出てくる可能性は低いだろう。他の国々の普通の市民にとっては、見通しはさらに暗い。」他の国々の中には、もちろん日本も含まれます。

最後に、この講演のタイトルの中で提起された問題、すなわち、現存の資本主義的民主制の下で人類は生き残っていけるのか、について考えてみましょう。再度言いますが、現存の資本主義的民主制は、真の民主主義とも、古典的リベラリズムとも、あるいは市場システムとも非常にかけ離れたものです。市場は、こういった現存の社会においては極めて制限されていますが、それでも全く機能を失っているわけではありません。市場が存在していないわけではないのです。ただ、市場というものには――その本質の一部として――よく知られた内在的な諸問題がついてまわります。そのうちの一つとして、市場システムにおいては、経済学者が「外部性」(externality)と呼ぶものが無視されているということがあります。二者が商取引を行なっているとき、彼らはお互いに自分の利益のみを求め、二者だけの利害を考えて行動します。それ以外の他者に対する影響は無視する。これが外部性と呼ばれるものです。商取引を行なっている二者が大企業の場合、無視されている影響は極めて重大なものになる可能性があります。例えば、ゴールドマン・サックスがリスクの高い取引をしたとしましょう。そのとき、ゴールドマン・サックスは自社のリスクに対しては何とか対処しようとするでしょうが、「システミック・リスク」(systemic risk)と呼ばれるもののことは考慮しないのです。つまり、もし取引のうちの一つでもうまくいかない場合、全体のシステムが壊れてしまうというリスクですね。こういうリスクのことは考えもしません。事実、この前の金融危機の時に劇的な例がありました。アメリカン・インターナショナル・グループ(ＡＩＧ)と呼ばれる巨大な保険会社が経営危機に直面し、もしそれが破綻したら経済全体が破壊されてしまう事態になったのです。このときは、現存する資本主義の原則に従って政府がＡＩＧに対する救済に乗り出し、経済の破壊を何とか防ぎましたが。

外部性の無視によって引き起こされる、さらに深刻な問題があります。共有資源(コモンズ)の破壊、環境の破壊です。これらも経済的取引において考慮されていない外部性です。正確な情報を持ち、理性的な判断が出来る人ならば、短期的利益ばかりを追い求めていると深刻な環境上の脅威に直接的に繋がっていってしまうという事実をもはや誰ひとり否定することは出来ないでしょう。環境破壊は差し迫った脅威であり、このことは無視されている外部性の一つです。そしてこの場合、先に述べた事例と異なり、犯罪実行者を——さらには、彼らによってその生存が大きな危機にさらされている、後世の人びとを——救済することは誰にも出来ません。

現存する資本主義の制度的構造は、大きな破綻が来ることを事実上約束しているのです。どうしてそういうことになるか、目の前で起こっていることを見ればわかります。例えば、アメリカでは、我々が「二一世紀のサウジアラビアになる」ことによって「一〇〇年間に亘るエネルギー自足」を勝ち取ることが出来る、という興奮が渦巻いています(現在の政策が続けば、二一世紀が人類文明最後の世紀になる可能性は非常に高いのですが)。オバマ大統領の最近のスピーチを聞くと、まるで人類の死を告げる鐘を鳴らしているかのようです。彼は——大きな拍手に包まれて——誇り高く告げます。「私の政権下において、今やアメリカは過去八年間で最大の石油生産量を達成しています。これは重要な事実です。この三年間に亘って、私は政権の行政機関に対して、二三の州においてガスおよび石油資源の開発を進めるように指示しました。我々が持つ潜在的海底油田の七五パーセント以上を開発中です。掘削装置の稼働率も四倍に高めました。記録的な高稼働率です。そして地球を一周以上できるくらいの石油・ガスのパイプラインを新たに敷設しました。」

企業はもちろん大喜びです。そして、実際、プロパガンダ・キャンペーンを展開すると堂々と宣言しました。つまり、気候変動などは、実際には起きていないか、あるいはもし仮に起きているとしても、それは人間が起こしているものではない、という風に民衆に思い込ませるためのキャンペーンです。二日前に福島の被災者から聞いたばかりの話を思い出します。政府は放射線などは発生していないと言っていると学校で教えられたそうです。ある女性が話してくれましたが、彼女の小さな娘さんが学校から帰ってきて、水仙だって放射線を出しているのだから、福島原発から数マイル離れたところに居るからといって、何も怖がる必要なんかないんだよ、と説明してくれたそうです。これは、アメリカで企業が堂々とやっていることと同じです。こういった活動は民衆が持っている「余計な理性」を何とか抑え込もうとしてなされるのです。民衆の理性は、圧倒的多数の科学者たちが深刻で確実で不気味なものと見なしている脅威をずっと心配し続けているからです。はっきり言ってしまえば、現存の資本主義における道徳計算法によれば、明日、よりたくさんのボーナスをもらうことの方が、孫の世代の運命などよりも重要なのです。つまり、「卑しい格言」が実行されているということです。

今述べてきたようなことは全て、現行の支配的イデオロギーと制度的構造の下ではごく自然なことなのです。なぜなら、人類の支配者の「卑しい格言」に従って行動するために、現存の資本主義は構成されているからです。

　この講演のタイトルに戻って、こういった現存の資本主義的民主制の下で人類が生き残れる見通しはあるのか、と問うてみましょう。見通しは明るくはありません。しかし、啓蒙の時代の理想は未だ死に絶えてはいませんし、決して死に絶えることはないでしょう。そして、何世紀にも亘って自由と正義を求めて闘った人びとが成し遂げてきたことは、我々が受け継ぎ前進させていくべき遺産として残されています。もし人類に生き残る希望があるとしても、受け継いだ遺産を我々が直ちに前進させなければそれは実現しません。我々人類がどのような生き物であるのかについて、その結末は雄弁に物語ってくれることでしょう。

質疑応答

質問1　あなたからぜひアドバイスをいただきたいことがあります。その理由は以下の二つです。まず第一に、あなたもおっしゃっていたように、原発事故が引き起こした放射性物質による汚染が日本では進んでいます。さらに、言論の自由も政府によって規制されようとしています。そういうことに加えて、非常に個人的なことなのですが、今、私の家族は大変な困難に直面しています。私の質問は、こういう、私の家族にとっても社会にとっても全く希望がないような状況で、私たちは——あなたが講演でおっしゃったように——希望を持って、あるいは積極的に生きていけるのでしょうか。一体どうやったら希望を持って生きていけるのか、ということです。

チョムスキー　過去二〇〇〜三〇〇年間を含む人類の歴史全てにおいて、社会変革のための方法はただ一つしか知られていません。そしてこの方法は全歴史を通して用いられてきたものです。それは、民衆による広範な組織化と活動です。これによって、我々は二〇〇〜三〇〇年前の人びとよりも――あるいは一世代前の人びとさえよりも――ずっと多くの自由を手にしているのです。政府は以前よりもずっと脆くなっています。以前だったら政府は、民衆を抑圧するために大規模な暴力を用いることが出来ました。未だに暴力を使うことはありますが、過去に政府が用いてきた暴力とは比較になりません。

実のところ、前世紀においてプロパガンダ・システムが非常に発達した理由の一つは、あまりにも多くの自由が勝ち取られてしまったからなのです。このことは極めて明らかな事実です。広報(ＰＲ)産業、あるいは広告産業は――これは巨大な産業です――アメリカとイギリスという、世界で一番自由な国で発達したのです。そして、その発達は極めて自覚的になされました。民衆が充分な自由を勝ち取ってしまったので、彼らを暴力によって制圧することは困難である、という明確な理解の下で広報産業が発達したのです。暴力によって制圧できないので、代わりに民衆の態度や信念を制御するようにしなくてはいけません。例えば、民衆には水仙が放射線を出しているとか気候変動は起こっていないとか言わなくてはなりません。なぜなら、彼らの頭を警棒で殴って政府の言うことをきかせるようなことはもはや出来ないからです。

ではそういう民衆の自由はどうやって勝ち取られたのでしょうか。これもはっきりしています。民衆自身の献身的な闘いによってです。そしてこれは今の場合も変わりません。私があなたに言うまでもありませんが、日本政府や東京電力は情報を隠しています。

入手している情報を国民に伝えてはいません。あなたが言ったように、言論の自由を制限しようともしているでしょう。しかし政府や大企業がいつでもそういったことをやすやすと出来るとは限らないのです。重要な情報を隠さず出すように強いることも出来るでしょうし、彼らが課してくる様々な制約を退けることも可能なのです。過去においてもそういったことはなされてきたし、将来もすることが出来るでしょう。ただ、そのための魔法のような手段はありません。民衆による闘いを通してのみ、そういうことは可能なのです。

質問2　私は上智大学の学生です。この講堂内にも今、非常にたくさんの大学生が居ると思います。そして、学生こそが将来、日本の社会を前進させるのだと思うのですが、日本の大学生にアドバイスをいただけないでしょうか。将来に対してどのような見通しを持てばいいのでしょうか。

チョムスキー　今、言ったとおりです(会場笑い)。

でも実際、最近の歴史を眺めてみればわかりますが、学生は往々にして社会変革の最前線に立っています。これには理由があります。学生というのは、人生の中で、その後の人生のどの段階よりも、そして、それ以前の人生のどの段階よりも、自由な時期を生きているのです。親による直接的な監督下にはもはやありませんし、食べるために賃金奴隷にならなければいけないような状況にもまだなっていませんから。自由でいられる時期にあるのです。自由でいられる時期というのは、考える――そして行動する――ための時期です。ほとんどの国で――日本でもおそらくそうでしょうが――教育制度というものが自由を制約しようとしているのは、これが一つの理由なのです。例えば、規律を課したり、負債で縛ったりする。他にも様々なやり方があります。そうやって、色々なものにがんじがらめにされていくのです。人びとが日常生活の鎖から自由になったときに自動的に現れてくる自由な思考、探求心、行動等を実際に行使しないように、こうやって人びとを囚われの身にしておくのです。学生時代というのは重要な時期だと思います。学び、理解を深め、組織して連帯する。そして、行動し、どういった方法がうまくいき、どういったやり方はうまくいかないかを見極めるのです。万能の公式のようなものはありません。現実に存在する状況について考え抜いて、そういう状況の下ではどうすれば適切な行動が取れるかを決める。それ以外のアドバイスはありません。

質問3　四年ほど前にあなたにメールをお送りしたのですが、その時は素朴に「世界からプロパガンダをなくすことは出来ると思いますか」などと訊いてしまいました。あなたは親切にも私のメールに返信をしてくれて、「あなたが言っていることはもっと一般的な問いの一部です。その問いとは、営利企業によって動かされている社会において、果たして民主主義は可能か、ということです」とおっしゃいました。私たちは往々にして主流メディアによって欺かれ惑わされています。ですから、私の質問は「普通の市民にとって、正しい情報というのはどうやって手に入れたらいいのか」というものです。

チョムスキー　情報はいくらでも入手可能です。実際、主流メディアにおいても、たくさんの情報を手に入れることが出来ます。もちろん、情報が歪められている可能性はあります。与えられた情報をじっくりと精査して、何が言われていないことなのかを見つけ出さないといけないこともあります。あるいは情報に関して疑問を呈したり、批判的な態度でアプローチしなくてはいけないことも事実です。でも、我々が情報へのアクセスを持っていないということはありません。海外の報道を読むことも出来ますし、学術雑誌を読むことも出来ます。情報は大量にあるのです。ただ、それらの情報は皿に乗せられた状態であなたに差し出されているわけではありません。あなたに差し出されているものは、支配者たちがあなたに信じさせせようとしているものなのです。

それにもかかわらず、例えば私が今まで言ってきたことは全て公共の情報に基づいたものです。調査のための秘密の方法などは何も必要ありませんでした。確かに調べるのは大変です。でもそれは何だってそうです。やれば出来るのです。ただ、個人として独りでこういうことをやるのはすごく大変なことではあります。教育制度においても、マスメディアの報道においても、あらゆるところに存在する大量のプロパガンダを打ち破るのは本当に大変なのです。でも組織を組めばそれも可能なのです。人びとが共に活動すれば、お互いの考えの良し悪しを確かめることも出来ますし、与えられた様々な教義に立ち向かうことも出来ますし、新しいアイデアを発展させることも出来ます。

ちなみに、これが、科学が人びとによる協同的営為である理由なのです。私はたまたま、科学の研究と教育を主な目的とする大学(MIT)で教えています。廊下を歩いていると、人びとが一緒に研究している姿が目に入ります。科学的理解というのは、そうやって発展していくのです。そして科学の外の世界でも事情は同じです。労働運動——労働組合——がどうして重要かというと、それによって、貧しい人たちが一緒になって働き、色々なことを考え、そして協同して行動を起こすことが可能になるからです。労働組合以外にもあらゆる種類の集まり(組織)があります。でも既に述べたように、基本は同じです。大変な作業だけれども、やれば出来る、ということです。我々は多くの自由を持っています。過去においてたくさんの人びとが自由を求めて闘ってくれたおかげで、その自由の遺産を継承しているのです。その自由を、望めば我々は使うことが出来ますし、さらにその自由を拡大することも出来ます。でも自由というのは、贈り物として与えられるものではありません。常に闘いによって勝ち取らなくてはならないのです。

質問4　社会的不正義と思えるものに対して闘うために我々個人に何か出来ることがあるはずだという点には、心を動かされました。でも、実際に世界で起こっていることを見ると、どうでしょうか。例えば、随分以前ですが中国で起こった天安門事件であるとか、他の色々な国々で起こっていることを見ると、もし政府に対して物理的デモで闘おうとすると、命を賭けなくてはいけない。多くの人は命がけでそういうことをやろうとはしないと思うんです。では、もう少し危険性が少ないやり方で状況を変えるのにはどうしたら良いのか。何かアドバイスはないでしょうか。

チョムスキー　そうですね。あなたがおっしゃる通り、人びとが有している自由は社会によって異なります。でも、あなたも私も、天安門事件が起こったような社会に暮らしているわけではありません。あれは全体主義国家での出来事です。全体主義国家でデモをするということは、命を賭けるということです。

ところで、今朝の新聞にある記事が載っていました。自由な社会――アメリカ合衆国――での出来事です。ある囚人――黒人の活動家です――が四七年ぶりに釈放されたのです。彼は四七年前の出来事の被害者だったのです(犯罪などはありませんでした)。その間ほとんど、独房の中での四七年間ですよ。拷問です。彼はブラックパンサーの組織者の一人でした。政府に対する異議申し立てや自由活動を弾圧するために、アメリカにはCOINTELPRO(Counter Intelligence Program、対破壊者諜報活動プログラム)と呼ばれる政府のプログラムがかつて存在し、それは特に無防備な社会的弱者を標的にしていました。国家というものはそういう風に動くのです。黒人民族主義運動はほぼ壊滅させられました。実際、直接的な政治的暗殺まで行なわれたのです。

一九六九年にも重要な事例がありました。シカゴで黒人運動の組織者であるフレッド・ハンプトンと一緒にいたもう一人の活動家――マーク・クラーク――がＦＢＩ(連邦捜査局)によって仕掛けられたゲシュタポ式とも言うべき強制捜査によって謀殺されたのです。こういったことは確かに起こります。社会における弱者の層に属する場合、社会的保護は弱いからです。でもその逆も成り立つのです。特権的な層になればなるほど、社会的保護も強くなります。我々のような人間は、非常に高いレベルの特権を持っています。政治活動をするのは危険かもしれませんが、何もしないのはもっと危険です。もし何もしなければ、破局が待っているのです。

ですから、何をするかはあなたの選択です。福島のような悲劇がまた起こっても構わないと考えるのならば、原子力発電所を再稼働すればいいのです。

質問5　私は沖縄に住んでいます。先日の『ジャパン・タイムズ』による、あなたのインタビューを興味深く読みました。その中であなたは沖縄における米軍基地について言及されていましたね。この点に関してもう少し考えをお聞かせください。

チョムスキー　沖縄の将来は東京にいる人びとにかかっています。私があなたに言う必要もありませんが、沖縄に住む人びとは圧倒的に米軍基地に反対しています。あなたも知っているとおり、基地が移設されようとしている町で選挙がありました。日本政府は住民が基地に賛成する側に投票するように非常に強く働きかけました。住民は圧倒的に基地反対の意思表示をしましたが、政府は一方的にそれを無視しています。もし国民が許してしまえば、政府は沖縄の住民の意思など却下することが出来ます。責任はここ、東京の人たちにあるのです。沖縄の人びとが出来ることは限られています。でも、東京で出来ることはもっとたくさんあります。住民の意思を踏みつけにして事を進める決断は、ここ、東京でなされているのです。もし日本の人びとが米軍基地が必要だと決めるのなら、そんなものは要らないと言っている沖縄の町の真ん中に基地を置くのではなく、東京の真ん中に置けばいいのです。でも、こういうことはあなた方の決断です。他の誰にも責任転嫁は出来ません。

質問6　あなたの講演を聴いて、人生における「精神性・霊性」の重要性についてもっと考えなくてはいけないと思いました。幸福とは何か、豊かさとは何か、等々、物質的幸せとかではなく、深い精神性に基づく、持続可能な社会に繋がる幸福について考えていくべきだと思うのですが、どう思われますか。

チョムスキー　それは私が講演の最初に述べたことと非常によく似た考えですね。私はそこで啓蒙の時代を動かしていた原理を引用しました。それらの原理は、啓蒙の時代および初期の古典的リベラリズムを代表する思想家の考え方に流れ込んでいます。実のところ、アメリカの産業労働者階級の考えにも流れ込んでいる思想です。人間の尊厳、自由、自分の生活を自分で決めること、自分の仕事を自分で管理すること、相互扶助、他者への援助、共感、そして連帯、こういったものを求めたのです。もしそう言いたければ、こういったものは精神的価値ですよ。そしてこういう概念が社会運動、労働運動、女性解放運動、そして他の大衆運動を活発化させる推進力になったのです。私にはあなたが言う精神的価値と物質的価値の違いがよくわかりません。いま述べたような概念は物質的存在にも影響を与えますし、純粋に物質的な獲得のみが「卑しい格言」というわけではなく、様々な形に練り上げられた価値体系の推進力が——少なくとも啓蒙の時代以来——いま述べた諸概念に対抗する形で展開されてきたというのが事実です。そして、この二つが、何百年もの間存在する、社会に関する相対立するビジョンなのです。どちらのビジョンにコミットしたいかは自分で決めるべきことです。

質問7　まず、あなたが天安門事件みたいなことはアメリカのような社会では起こり得ないと言ったのにはちょっとびっくりしました。〔オハイオ州ケントの〕ケント州立大や〔ミシシッピ州ジャクソンの〕ジャクソン州立大での出来事、さらにはCOINTELPROなどのことを考えると、どうでしょうか。あなたもよくご存じのように、これらはみんな実際にアメリカで起こったことです。まあでもこれが私の訊きたい質問ではありません。でも、この点について何かおっしゃりたいことはありますか。

チョムスキー　ジャクソン州立大の出来事は黒人学生の殺害ですね。ケント州立大は四人の白人学生の殺害です。そして後者は大変な騒ぎを巻き起こしました。でもこれは天安門広場での出来事とは違います。違いはきちんと認識しておかなければなりません。非常に明確な相違点があるのですから。

質問7・1　ええ、もちろんです。そのことは私の訊こうとしている質問とも関係があります。ご説明をお願いしてもいいでしょうか。本日のあなたの講演、中でもネオリベラリズムのプログラムに関するあなたの説明を踏まえると、ネオリベラリズムはどんどんと先鋭化してきているように思えます。例えば、一九五〇年代から始まって、一九八〇年代のレーガン時代を通して、このプログラムは金融機関に対する規制を次々と取り去り、極めて少数の人びとに富を集中させる結果を招いています。そして、この傾向はすでに非常に強まってきていますし、あなたが講演で概観したように、これからもさらに強まっていくと思われます。政府はこのシステムを守るために次々と、よりきびしい方法を提案してきます。信じられないくらい少数の富裕層の権利や権力を守ろうとする人びとと、大衆の権利を守ろうとする人びととの間に存在する境界線は、今後ますます明確になってくると思います。そして、少数者の権力を守ろうとすることに反対する、何らかの大衆運動が起こってくるのではないでしょうか。これからの一五年から二〇年の間にどのようなことが起こるのか、そして、大衆運動は本当に民衆の中に定着して力を持ってくるのか、こういうことについて少し話していただけないでしょうか。

チョムスキー　まず第一に、あなたがおっしゃったことに少し限定を付けさせてください。今日の若者は大変な抑圧を感じています。でもそれは、彼らが過去について知らないからなのです。それほど昔に溯らなくても、過去における抑圧は今よりもずっとひどいものでした。私はCOINTELPROに言及しましたが、それは今日ではCOINTEL-PROのような機関は存在しないからです。例えば労働運動の歴史を取ってみると、大変な暴力に直面してきたことがわかります。一九三〇年代になっても、ストライキ中の労働者が殺されたりしていたのです。私が小さいころの記憶です。今日では状況は違います。

たくさんのことが変わりました。そして、そういう変化は、民衆が変えさせるために闘ったから起こったのです。今日では、かつてよりも遥かに多くの自由があります。女性の権利を取ってみましょう。人口の半分は女性です。最も自由な国であるイギリスとアメリカの社会を考えてみましょう。他の社会はもっとひどい状況です。アメリカ合衆国の建国時、この国はイギリスのコモン・ロー(慣習法)を受け継ぎました。イギリスのコモン・ローによると、女性は人間ではなかったのです。女性は所有物でした。女性はその父親の所有物であり、その所有権が結婚と共に夫に手渡される、というわけです。実際、女性に選挙権を与えることに反対する論拠の一つとして、そんなことをしたら独身の男性に不公平だというものがあったのです。結婚している男性は選挙で二票持つことになるからです。なぜなら、所有物は当然、所有者と同じように投票するに決まっているから。

これを乗り越えるためには長い時間がかかりました。非常に長い時間です。実のところ、アメリカでは一九七五年まで——それほど遠い過去ではありません——女性は独立した人格(男性と同じ地位にある同輩)として法的に認められていなかったのです。連邦陪審の陪審員になる法的権利を認められて——陪審員になるには同輩でなければなりません——女性の権利は格段に向上しました。現在では、女性にはかつてよりも遥かに多くの自由があります。他の人間に関しても同様です。

先に述べたCOINTELPROによる黒人活動家の謀殺は、今日では起こりません。他の種類の弾圧は行なわれていますが、あのような形の弾圧は行なわれません。一般的に言って、今日における抑圧の程度は——もちろん、ひどいものではありますが——過去における抑圧とは比べるべくもないものです。若い世代の人たちは、このことを感じていないのではないかと思います。過去のことはすぐ忘れられてしまう傾向にありますから。ということで、今日の社会も困難ではありますが、かつてほどひどくはないのです。かつて、人びとはもっとずっと困難な状況に立ち向かって闘ったのです。アメリカの公民権運動などは典型的な例でしょう。一九六〇年代の初頭にサウス(アメリカ南部)に行ってごらんなさい。人びとはそこで次々と殺害されていたのです。フリーダム・ライダーズは激しく暴行を受け、殺されたのです。今日では、状況は変わっています。

将来、何が起こるのでしょうか。誰も未来のことを予測できた人はいません。人間がすることに関わる予測は、当たる確率が非常に低いのです。そして、それには理由があります。人間がすることは、人間の意志に基づくからです。やろうと決めたことを人間はするのです。そして、何をやろうとするかは、あなたしだいです。誰も予測することは出来ません。もし人びとがフリーダム・ライダーズになろうとするのなら、正義のために闘おうとするのなら、環境を取り巻く問題に取り組もうとするのなら――何かが起こるでしょう。もし人びとがそういうことをやる気がないのなら、何も起こりません。人間の歴史を見てみると、事の成り行きというものは常に予測不可能だったことがわかります。

今日、不平等は大変な規模に及んでいると言われます。その通りですし、これまでもそうでした。一九二〇年代もこんな感じでした。一八九〇年代も同様です。そして、その時々において、何らかの反発がありました。一九二〇年代にアメリカでは労働運動が破壊されました。本当にほとんど破壊されたのです。ところが、一九三〇年代には労働運動が復活しました。すごい勢いでした。CIO(産業別労働組合)が出来て、座り込みストライキが行なわれました。座り込みストライキは、工場所有者たちを震え上がらせたのです。どうしてかというと、労働者は工場を自分たちで管理するべきだと常に考えていたわけですが、座り込みストライキは、まさに物理的にその一歩手前の形態だったからです。そして、比較的労働運動に親和的な政権によっていくつかの重要な改革がなされました。一九六〇年代にも似たようなことが起こりました。今日でも同じようなことになるかもしれません。しかし、どうなるかは選択を行なう人びとしだいです。誰も予測は出来ません。

質問7・2　関連する質問を最後に一つだけいいですか。私の質問の言い方を少し変えると、つまり、王様たちはどんどん洋服を脱がされていて、近い将来、裸になって大衆の前に現れるようになるのではないか、ということなのです。私の判断に賛成していただけますか。

チョムスキー　ええ、そうだと思います。講演の中では少し言及しただけで詳しくは論じませんでしたが、アメリカは非常に世論調査が盛んな社会です。したがって、民衆の態度に関して多くのことがわかります。そして、それは驚くべきものです。例えば、自分たちのことをすごく右派だと思っている人たち、保守派だと思っている人たち、政府など要らないと思っている人たち――そういう人たちを対象にした世論調査というものがあります。それを見ると、実はそういう人たちが社会民主主義者だということがわかるのです。彼らは、医療や教育や、例えば被扶養児童が居る女性や、そういうことにもっとお金を使うべきだと思っているのです。福祉は別です。なぜなら、福祉は諸悪の根源の烙印を押されてしまっているからです。極端な人種(差別)主義者であるロナルド・レーガンが福祉に対するこの構図を作り上げたのです。福祉とは、要するに、金持ちの黒人女性が大型の高級車を運転してあなたのお金を盗んでいくようなものだ。誰もそんなことは望まないだろう、というわけです。でも被扶養児童を持つ女性への援助、そういうことにならもっとお金を使っていいんじゃないか。さらに、医療、教育、そういうことにもっとお金を使うべきだ。これが右派と称する人たちの意見なのですよ！

富裕層に、より高い税率を課すことには圧倒的な支持があります。その間、他の層への税金は下がる。これは現状を打破するための突破口になり得るか。ええ、なり得るでしょう。でも、事の成り行きはひとえにあなたのような人たちの行動によるのです。自動的に突破口が開けるなどということはありません。

質問8　私の質問は福島原発に関するものです。我々は事態を内側だけからしか見られませんが、外からこのことがどう見えているのか知りたいと思います。日本の外からはどう見えているのでしょうか。

チョムスキー　他の全ての人びとと同じことを私も考えているに違いないと思います。

福島原発の事態はとてつもなく悲惨なものです。こういったことは、これからも引き続き起きていくでしょう。一方で、折り合いをつけることを考えなくてはいけない二律背反的な問題もあります。化石燃料も、やはり破滅的なものだということです。日本は輸入天然ガスを最もたくさん消費している国の一つです。人類のための打開策は一つしかありません。それは持続可能エネルギーに移行することです。化石燃料は破滅的であり、原子力発電所は極めて危険です。日本に住む全ての人が知っている通りです。選択肢は持続可能エネルギーに移行することです。そして、それは実行可能です。

ドイツを取ってみましょう。ドイツは豊かな、そして成功した国です。福島の事故の後、ドイツは自国の原発を閉鎖しました。化石燃料を使っていますが、それも減らしています。着実に事を進めています。何年の間にだったか、具体的な年数は忘れましたが、数年の間に持続可能エネルギー源への依存率をおよそ七〇パーセントにするという目標を立てています——実際に達成出来るのかどうかはわかりませんが。あり得ることではあります。あるいは、中国を考えてみましょう。中国は大変な環境汚染国ですが、同時に、世界における太陽エネルギーの高度先端技術の主導国でもあります。大量生産だけではなく、ソーラーパネル等の研究開発においても極めて先端的な技術を持っているのです。これは正しい方向です。日本だったらもっと先に進むことが出来るでしょう。日本は、その技術力において中国の遥か先を行っていますから。でも、資源を投入しなければだめです。

質問9　東アジアの政治状況は非常に悪い状態です。日本の安倍政権は様々な危険な政策を取っています。憲法を再解釈して日本に集団的自衛権を与え、海外における戦争に参戦できるようにしようとしています。さらに、この地域には実に不健康なナショナリズムが拡がってきています。例えば、日本国内でもナショナリズムが高まり、韓国や中国などに対する非常に否定的な言説がばらまかれたりしています。自分で考えなさいとおっしゃるであろうことはわかってはいるのですが、我々はこういう東アジアにおける危険な状況にどう対処すればいいのでしょうか。

チョムスキー　アドバイスを求めるのは、本当に間違いです。なぜなら、アドバイスの内容は明らかだし、それは何の指示もないのに人びとが歴史上常に従ってきたことだからです。社会というものは、そうやって変化していくものです。私が言及した公民権運動や女性解放運動、あるいは過去一五年間におけるラテンアメリカの変化を考えてみてください。誰もアドバイスなど求めませんでした。関わった人びとは、自分たちで行動を起こしてやり遂げたのです。こういった状況において、相対的に恵まれている我々のような人間には多くの機会が与えられています。あなた方にはアドバイスは必要ありません。必要なのは、与えられている機会を追求する意志です。意志こそが必要なのです。アドバイスを求めても何も得られません。なぜなら、誰もそんなアドバイスを与えることは出来ないからです。過去においてもずっとそうでしたし、現在でも同じです。これこれの状況においてこの具体的な問題に対処するためにはどうやったら一番良いのか、等という特定の戦術的判断に関してはアドバイスを得ることは可能かもしれません。でも、現下の問題に関しては、あなたの方が私よりずっと詳しく状況を知っているのですから、これは当てはまりませんね。

質問10　アメリカ国家安全保障局（ＮＳＡ）および他の諜報機関による全国民対象の大衆監視活動が、あなたが論じている大衆運動――より良い社会のために必須の運動――の発展をどの程度抑え込んでいると思いますか。

チョムスキー　それは実際、非常に興味深い問題です。まず第一に、そういった監視活動が大衆運動の発展を抑え込むなどということは、あってはならないことです。大事なことは、監視活動などは行なわれてはならないということです。でも問題は、政府はそうやって蓄積してきた情報を使うためのどんな力を持っているのか、ということです。これに先立つ問いとして、そもそも、政府はそういった情報を使って何か出来るのか、という問題があります。私の推測では、集めた情報を政府はほとんど使うことが出来ないのです。これに関して論じるために、歴史を溯ってみましょう……いや実際、いま現在起こっていることを見てもこれは明らかです。暴露されたこの大衆監視活動について考えてみましょう。その目標は、理論的には、テロ行為を阻止するためでした。いいでしょう。では、いくつのテロ行為を阻止したのでしょうか。実際、我々は答えを知っています。この大衆監視活動が暴露されたとき、大統領は、この活動によって五〇以上のテロ行為が阻止されたと言いました。なるほど、なかなか素晴らしい。

後になって、最終的な結論が出ました。実際には、この活動によって阻止された行為は一つでした。そして、その一つとは、ある人がソマリアに八〇〇〇ドル送金したことです。これがこの広範な監視活動の唯一の成果なのです。これからあることがわかります。データを単に山ほど集めても、ほとんど利用価値がないということです。私は一九六〇年代にベトナム反戦運動で被告の一人でした。問題になっていたのは明らかな共同謀議による法律違反で裁判の観点から見ると簡単なものでした。事実関係は全て完全に公になっていたのです。それでも、政府は裁判に勝てませんでした。政府は山ほど情報を持っていましたが、それをどうやって使うかわからなかったのです。政府が訴追できなかったのは、二つの理由によります。一つはアメリカ国内の民衆による大きな反戦のうねり。しかしそれより重要なのは、ベトナムにおけるテト攻勢です。おそらく歴史上例がないくらいの規模の民衆による武装蜂起ですが、これがアメリカの実業界に「この戦争は代償が非常に高くつく」と思わせたのです。それで、彼らは政府に対して戦争に対する支出を削減するように圧力をかけた。そしてその一環として、裁判をやめるように圧力をかけたのです。

それはともかく、ここでの要点は、ＦＢＩはたくさんの情報を持っていたのにもかかわらず、それらをどう使うかがわからなかったということです。現在ではＦＢＩが保有している情報は途方もない分量になるでしょうが、おそらくそれらの情報の利用方法については、かつてよりも一層わからなくなっているでしょう。このことは、膨大な情報から何が全体の結果としてこれまでに出てきたかを見れば想像できます。ソマリアに八〇〇〇ドル送金した人ひとりですよ。それがこの何十億ドルもかけてやってきたことの成果なのです。ですから、政府による監視活動などを怖れる必要はないのです。もし機動隊が対人攻撃用の武器を用意していて、あなたが道路を渡ろうとしたら撃つ態勢を取っていたとしたら、それは怖れなくてはいけないことです。一方、もちろん、政府が人びとに関する情報を収集するのは正しいことではありませんが、監視活動そのものは怖れるに足りないことです。

質問11　アメリカにおける組織的な労働運動について質問です。ご存じのように、最近、フォルクスワーゲンの工場労働者がUAW(全米自動車労働組合)の試みを拒否しました。UAWはフォルクスワーゲンの経営側の同意を得て、ドイツ風の同業者労働組合を組織しようとしたようですが、当の労働者による投票で却下されてしまったのです。この件についてどうお考えですか。また、組織的な労働運動一般、あるいはアメリカにおける労働運動に関してどうお考えですか。組織的労働運動は死に絶えてしまったか、あるいは死にそうになっているように見えるのですが。

チョムスキー　先に言ったように、一九二〇年代に組織的労働運動はほとんど破壊されてしまいました。その多くは、まさに暴力的に破壊されたのです。しかし、一九三〇年代には労働運動は復活しました。その復活は目覚ましいもので、そのことが、ニューディール政策の立法措置等の基礎になったのです。第二次世界大戦のすぐ後に、労働運動の基盤を崩しそれを破壊しようとする大がかりな攻撃が実業界から仕掛けられました。企業側としては、労働運動は耐えがたいものだったのです。そして、労働運動の指導層の側もこの動きにある程度協力したのだと、私は言わざるを得ません。これは長い話になるので詳細は省きますが、労働運動の指導者たちは、屈服しなくてもいいような様々な面で企業側に屈服したのです。選択肢は他にもあったはずです。それはともかく、そういったことの最終結果はどうなったかというと、私企業においては組合の組織率は今や七パーセントを切っています。そして、今度は攻撃が公務員組合に向けられていて、公務員組合は大変な攻撃にさらされているのです。これは詳細を調べてみればわかります。

さて、あなたがおっしゃった〔テネシー州〕チャタヌーガの事例ですが、まず注意しなくてはいけないのは、これはサウス(南部)での出来事だということです。ディープ・サウスですよ。人種(差別)主義が強く、反労働組合の雰囲気も色濃く、企業から、あるいは州政府からの組合に対する攻撃も非常に激しい地域です。こういった要因が投票に影響を与えたのです。しかし、アメリカ全土の労働者を見てみれば、圧倒的多数は――もし組合を持つ可能性があるのならば――組合を持ちたいと思っています。ただ、組合を組織しようとする試みがなされるたびに、あらゆる種類のプロパガンダがそういう取り組みを潰すために行なわれるのです。貿易協定もこういった目的のために使われます。例えば、NAFTAの一つの効果は、労働運動を潰すために経営者が行なう非合法活動の数を一気に押し上げたことです。ポスターを貼ったりすることなどがそれです。もし、工場を組織しようとする試みがあるようならば、「メキシコに操業場所を移す」というポスターを貼る。その意味は、組合に投票するのなら、我々はメキシコに工場を移すぞ、ということです。こういうことを言うのは法律に反するのです。でも、犯罪的な州政府が背後についていれば、非合法な活動でも問題なく実行することが出来るのです。こういった違反行為の件数は、ＮＡＦＴＡによって五〇パーセントも増えました。

このように、労働運動を潰すための装置は数多くあります。ですから労働運動を行なうのは大変なことです。しかし、労働運動の指導者たちは階級間の協力などというものを信じたのですよ。これはアメリカにおける労働運動の一つの弱点です。彼らは何らかの幻想に惑わされていたのか、あるいは自分たち自身の利益のために、階級戦争を闘うことよりも企業と協調する道を選んだのです。実業界の方は違いますよ。実業界は常に猛然と階級戦争を闘っています。彼らはこのことに関しては非常に自覚的です。

実際、一九七〇年代後半に有名な出来事がありました。主要な労働組合の一つであるＵＡＷの当時の委員長だったダグ・フレイザーが政府との交渉委員会から出てきて憤慨しながら言いました。「民間資本は一方的な階級戦争を闘っていて、労働運動を潰そうとしているんだ。」彼は一体何を期待していたのでしょう？　その通り。それこそ資本が常にやっていることです。容赦ない一方的な階級戦争です。そして、もし労働運動が資本がやっていることに単に調子を合わせることを選んだりしたら、もちろん、大きな被害をこうむることになります。これは社会にとって大きな害になる深刻な問題です。実に深刻ですよ。

しかしそれでも労働運動はちょうど一九三〇年代にそうであったように、再構築できると思います。手間はかかるでしょう。でも出来るはずです。

このことについてもうひとこと付け加えれば、あまり一般の注意は引いていませんが、非常に重要な進展が労働運動で起きているのです。旧ラスト・ベルト(鉄さび地帯)——鉄鋼・自動車工場などがかつて置かれ、現在の経済金融化や外航海運等によって大きな打撃をこうむった地域——において、労働者が所有する企業がいくつも生まれています。規模はすごく大きいというわけではありませんが、現在、オハイオ北部、インディアナ、その他の地域に拡がりつつあります。これは実に好ましい進展です。既に始まっていますし、社会を根本的に変えていく動きになるかもしれません。

質問12　個人の自由が金銭や政治によって損なわれているということをお話しになったと思うのですが、二つほど質問させてください。一つは、人間の自由の本質は何か、です。もう一つは、日本に居る我々は人間の自由を守るために何をすればいいのか、ということです。

チョムスキー　個人の自由という概念は人びとにとって非常になじみ深いものです。だからこそ、歴史を通して常に人びとはそれを求めて闘ってきたのです。いつかルソーをお読みになってみてください。彼は、文明化されたヨーロッパ社会を厳しく非難しました。先住民が持っている自由を求めて闘う能力を、ヨーロッパ社会は失ってしまったからです。そしてルソーは、人びとに反乱を促し、「自由とは何を意味するのか」ということに対する基本的理解を自分自身で抑圧していることを認識するべきだと言いました。人間の自由に関してわざわざ誰かがあなたに教える必要はないのです。あなたがた一人ひとりが、自由であるとはどういうことかを完全にわかっているのですから。命令に従わない。自分自身を外的権力に従属させない。そういったことです。

自由に関しては考えたくないと思うかもしれません。個人の自由に伴う諸々の権利を棄ててしまおうと思うかもしれません。でも、そういった権利がどのようなものかは、誰でも完全にわかっているのです。ではどうやって自由を達成するか。これについては、今まで言ってきたことと同じことしか言えません。女性が所有物であることから自由になって人間になったときのやり方、公民権運動が(限定されたものではあるものの決して重要でないとは言えない)権利を獲得したやり方、奴隷制が克服されたときのやり方、南アフリカにおいてアパルトハイトが廃止されたときのやり方、ラテンアメリカの国々が五〇〇年に亘る外国権力——支配してきたヨーロッパ諸国——への従属から自らを解放したやり方、こういった方法と同じ方法でしか自由は勝ち取れないのです。そして、これらの解放運動においても、どうやって自由を勝ち取るかについて、誰かが教える必要はありませんでした。彼らは、自由であるとはどういうことかを知っており、そのために行動し、ついにそれを勝ち取ったのです。あなたについても、そして他の誰に対しても、同じことが当てはまります。

閉会の辞（福井直樹）

ごく簡単にチョムスキー教授が今回行なった二つの講演についてまとめてみます。「チョムスキーは二人いる」とは昔からよく聞く表現です。科学者としてのチョムスキーと政治社会思想家としてのチョムスキーです。では、それら二人のチョムスキーはどう関係しているのか。これもよく聞かれる疑問ですが、これについてはチョムスキー教授はなかなかはっきりとした答えはせず、解答を避けているようなところがありました。しかし今回の講演で初めて、チョムスキー教授はこの問題を正面に据えて、「二人のチョムスキー」を結びつける形で話をしました。それは、「我々はどのような生き物なのか」という根本的問題に対する解答として浮かび上がってくる結びつきです。この問題に関する第一型は「我々はどのような認知的生き物なのか」というものですが、これに関しては、チョムスキー教授は科学的解答を提示しました。昨日の講演『言語の構成原理再考』において詳述された内容です。

それに対して、問題の第二型「我々はどのような社会的生き物なのか」については、科学的解答は――おそらく原理的に――存在しません。ですから、本日の講演『資本主義的民主制の下で人類は生き残れるか』において、チョムスキー教授は、彼が考える人間の本質に基づいて、我々人類はどのような社会的生き物であるべきか――そして、あってしかるべきか――ということについての希望を語ったのです。昨日の講演で詳しく述べられたように、私たちはその生物学的形質として言語機能というメカニズムを与えられています。言語機能は人間が自由に思考し、自由に表現することを可能にします。人類が持つこの認知的生き物としての本質に基づいて、私たちは社会的生き物としても、自由で創造的でかつ協同的な生き物であってしかるべきなのです。これが、チョムスキー教授が持つ基本的な(広い意味での)「哲学」なのです。むろん、科学的認識と社会政治的論点を結びつけようとするときは、常に慎重でなければなりません。直接的にこれら二つの領域を結びつけることは不可能です。チョムスキー教授の科学的研究と政治社会思想に関しても、演繹的な関係は存在しません。しかし、ひとりの知識人の内にある二つの知的側面として、彼の科学研究と政治社会思想の間には原理的な整合性がなければならないでしょう。「二人のチョムスキー」の間には完全な整合性が――そしておそらく深い連関が――あるということが、昨日と今日の二つの講演において充分に示されたと思います。

理由はよくわかりませんが、日本においてはなぜか今までチョムスキー教授が持つ

「哲学」の二つの側面がまとまった連続講演の形で提示されることは一度もありませんでした。しかしこれらの側面をまとまった形で話してもらうことが実に有意義であるということは、私たちが昨日、今日の二日間で経験した通りです。実際、日本以外の場所(特に欧米)では、この種の連続講演は数多くなされてきました。それらの連続講演は、ケンブリッジ大学におけるバートランド・ラッセル記念講演であるとか、スタンフォード大学におけるカント講演であるとか、あるいは最近ではコロンビア大学でのジョン・デューイ講演であるとかの名前で呼ばれています。私たちが聴いたばかりの連続講演も、おそらく「ソフィア・レクチャーズ」などの名前で将来言及されることになるのではないかと思います。これらの講演を英語と日本語の両方で近い将来出版する計画も進められています。どうかご期待ください。それでは、最後に、私たちにこれらの素晴らしい連続講演を聴かせてくれるために、ボストンから遠路はるばる東京に来てくださったチョムスキー教授に心からの感謝を表わして結びの言葉としたいと思います。ありがとうございました!

〔割れるような拍手。スタンディング・オベイション〕

二〇一四年三月四日

インタビュアー　福井直樹・辻子美保子

――わざわざ東京までいらしていただいて、ありがとうございます。今回の滞在期間中には――他のもっと専門的な講演やセミナーに加えて――二つの公開講演が「ソフィア・レクチャーズ」として上智大学で行なわれることになっています。一つは、言語学に関するもの(「言語の構成原理再考」、二〇一四年三月五日)、そしてもう一つは政治社会思想に関するものです(「資本主義的民主制の下で人類は生き残れるか」、二〇一四年三月六日)。ですから、今からの議論もこれら二つのトピックを巡って――言語学のほうに少しばかり力点を置きながら――行なっていきたいと思います。あらかじめきちんと計画したインタビューというよりも、様々な話題に関して自由に議論をしていくという形でやっていくつもりです。

さて、あなたの*Syntactic Structures*(Mouton, 1957)の日本語新訳が岩波文庫の一冊として出版されたばかりですので(『統辞構造論』福井直樹・辻子美保子訳、二〇一四年)、この本の中で展開されている最初期の生成文法理論と、併合に基づく現在の理論を比べたとき、どのような部分が変わらず残っていて、どの部分は変化してきたのか、そのことから話を始めたいと思います。これら二つの枠組みの実質的相違点に関してどのようにお考えですか。

チョムスキー　不変の部分として二つの極めて重要な点があります。一つは、〔音声と意味の〕二重の解釈を持つ階層構造を生成する非有界システムであるということが、言語の中核的特性であるとする認識です。そしてもう一つは、言語に関する理論は生物学的枠組みの中で構築していかなければならないという認識です。すなわち、我々が論じているものは、一種の身体器官――主として脳の中の器官――であるということです。その後、「生物言語学的枠組み」(biolinguistic framework)と呼ばれるようになったものですが、これは私にはほとんど当たり前の話に思えます。つまり言語は個々の人間が有している何かであり、それは腕や脚ではありませんから、脳の中にあるわけですけれども、我々が言語に関して論じるときは、要するに何らかの種類の認知システムに関して論じていることに他ならず、その認知システムは、いま言った非有界生成という中核的特性を持っている。こういったことは、初期の理論から現在まで全く変わっていないのです。

初期の研究では、記述的妥当性を満たすためのメカニズムを開発することにほとんど全ての努力が注入されていました。例えば、easy to please と eager to please の違いとか、persuade と expect が示す相違点などを扱うためには、どのような類いの文法的装置が必要か、といった問いに向き合っていたのです。初期の頃からの難問の一つに規則の「構造依存性」(structure-dependence)がありますが、これは、考えてみるといささか逆説的な特性です。この特性に関しては、現在の観点から見ると言えることが随分たくさんあるのですが、当時は、言語に対する自然なアプローチはとにかく句構造規則的なものを用いることのように思われました。ところが、一方で言語は常に「転置」(displacement)という奇妙な特性を有しているように見える。となると、この転置を扱うために、句構造規則とは異なる何か別の演算が必要になる。それが変換です。そして、各々の変換を見ると、非常に複雑な形をしている。ということで、とても複雑な句構造部門と、同様に極めて複雑な変換部門を想定していました。これらを組み合わせて、全体としてどういうものを扱うことが出来るのか見てみようとしたのです。

しかし、この考え方は、どこかが根本的に間違っているということも明らかでした。何よりも、そのような複雑な文法を学習することは、およそ不可能です。さらに、そんな複雑な文法が進化の結果生じたとは、とても考えられません。ですから、最も単純な説明を試みるという科学における通常の理由を別にしても、二つの特別な関心事が文法研究には存在していたわけです。一つは、文法における総ての構成物は学習可能でなければならないという事情。もう一つは、文法というものは、人類の進化の過程において

ノーム・チョムスキー

どうにかして発生してきたものでなければならない――進化における発生が可能であるようなものでなければならない――ということです。それで、初期の理論以来ずっとこの分野で起こってきたことは、文法の複雑性を一つひとつ剝ぎ取って文法を単純化していくということでした。一九六〇年代までには、『統辞理論の諸相』(Chomsky 1965)や他の論文で論じられているように、〔文法理論の中で用いられている〕句構造文法と変換文法の両方が単純化されました。そして、一九六〇年代後半には、句構造文法が〔人間言語の文法モデルの一部としては〕本質的に排除されました。句構造文法が持っていた膨大な取り決め上の規定的(stipulative)特性が、Xバー理論によって排除されたのです。ごく最近になって、ほんの二～三年前に初めて、Xバー理論自体も新たな規定を導入しているということがわかりました。内心性のような規定を導入したのは誤りだったと思います。それはともかく、Xバー理論は句構造文法が持つ数多くの冗長性を排除しました。そしてその後、一九八〇年代になって、あなたの研究(Fukui 1986等を参照)やその他の研究によってXバー理論の単純化が図られ、その結果として「素句構造」(bare phrase structure)の理論が生まれるわけです。

こういった動きと並行して、一九六〇年代初頭から、変換の働き方に対する制約を見つけようとする試みがありました。私の『言語理論の現在の諸論点』(Chomsky 1964)(いくつかのバージョンがあります)などの一九六〇年代初頭における言語理論の研究は、後にWH島の制約と呼ばれることになる制約やその他の制約に関して論じていますが、これは複雑な変換規則から何か抽象的な特性を抽出することにより、もっと単純な原理を得ることが出来ないかと思ってやっていたのです。この流れの中でひとつ重要なことは、——これはチャック・フィルモアの研究に動機づけられたものなのですが——文法の再帰的特性を、『言語理論の論理構造』(Chomsky 1955)や『統辞構造論』におけるように変換部門に担わせるのではなく、句構造部門に移すという動きでした。そして、再帰的特性を担っていた装置(一般変換)は、その後、基本的に文法から排除されることになります。その後も、そういった様々な複雑性の除去が続いていくわけです。そうして、一九八〇年前後に非常に大きな理論的変化が訪れます。「原理・パラメータの枠組み」が結晶化することによって生じた変化です。この枠組みは、言語研究の大規模な拡大への途を拓き、また心理言語学の再活性化を促したのみならず、文法の学習可能性に関する決定的に重要な問題への一つの解決策を示したのです。

初期の理論が抱えていた主要な問題点の一つは、文法の選択という概念でした。データが与えられたとき、それを基にしてどうやって一つの文法が選ばれるのでしょうか。当時の基本的アイデアは、普遍文法(Universal Grammar, UG)が人間言語の文法システムに対するフォーマットを提供しており、そのフォーマットが可能な文法規則のタイプを規定する。そして、それを満たす文法の中から一つの文法が選択される、というものでした。実際のところ、普遍文法によって規定された入手可能な文法の中から最適な文法を選ぶように作られた評価手続というものが、一九四〇年代の終わり頃から提案されていたのです。ところでちょっと横道にそれますが、イギリスの何人かの言語学者――例えば、ジェフリー・サンプソンとかP・H・マシューズとかですが――による実に奇妙な主張があります。一九七〇年代から一九八〇年代にかけて、彼らは、評価手続の使用は人種(差別)主義的だと主張したのです。

――ちょっと待ってください。よく理解できません。どうして人種(差別)主義になるのですか?

チョムスキー　どうして、ですか? 評価手続によって異なる言語の評価が可能になるから、というわけです。さらに彼らは言うんです。「つまりこれは帝国主義だ。そしてあなたは英語が一番優秀な言語だということを示そうとしているのだ。」こういった誤解が示す知的レベルは、ちょっとコメントする気にもなれないものです……。

実際に我々が取り組んでいたのは、一種のアブダクション(abduction)の問題でした。どのようにして一番良い文法を見つけるのか、という問題です。これには難点がありました。『統辞理論の諸相』では、この問題は実行不可能なものとされています。つまり、技術上は評価手続を用いて一つの文法を選択することが可能なのですが、その実行には天文学的な計算が必要になるのです。ですから、そのようなことは実行不可能ですし、したがって、正しいはずがありません。

一九八〇年前後に原理・パラメータのアプローチが文法全体の枠組みを劇的に変化させました。この枠組みの細部を実際に展開することは容易なことではありませんが、枠組みの変化が実行可能性の問題を克服したことは確実です。つまり、パラメータが具体的にどういうものかはともかく、それらが有限個しか存在しないことは確かです。したがって、ある言語を獲得するということは、基本的に有限個の質問票を埋めていく作業であるということになり、ゆえに文法の選択の問題は実行可能になります。パラメータの数について多くの懸念が表明されていますが、そういった懸念は無意味だと思います。リチャード・ケインが、もしパラメータが例えば三〇個あったら、一〇億個以上の異なった言語が存在することになると指摘していますが、そういうことも大した問題ではありません。ただ、パラメータとは厳密には何なのかを突き止めることは興味深い問題ですし、実際、未だ完全に解明されてはいない問題です。解明に向けての進展はありますが、多くの問題が残っています。

一九八〇年代に、実際に細かいところまで詰めて開発されたシステムはひどく複雑な原理のシステムでした。多くのモジュール、その他諸々がありましたから。しかし、一九九〇年代初頭までには、計算効率性の一般原理を導入することにより、これらの複雑な原理のシステムは相当程度縮小できるということが明確になってきた、と私には思えました。この考えから併合を基礎とするシステムに到るわけですが、併合システムは──私自身しばらくの間気がつかなかった──劇的な結果を生むことになりました。つつまり、転置と句構造を統合できるようになったのです。これら二つの現象は同じもので、両方とも併合システムの中に含まれているのです。このことは、私にとって常に奇妙に思えていた言語の非効率性の問題──なぜ言語には常に転置が存在するのか──を克服することを可能にします。転置の存在は併合システムから直接的に導かれるものです。しかも、単なる転置ではなく、併合システムからは「コピー理論を伴う転置」が導き出されるのです。このことは決定的に重要です。なぜなら、コピー理論を伴う転置によってこそ、正しい意味解釈が得られるからです。そしてもちろん併合によって作られる構造は(左右関係の)順序が指定されていません。こういったことによって、最近になって得られた(私が思うに重要な)結論、つまり、言語はまさに「思考の言語」(language of thought)であるという結論が出てくるのです。

言語の外在化(externalization)は二次的特性です。このことは、外在化の使用は全て——コミュニケーションも含めて——二次的なものであることを意味します。これは、非常に広く流布しているドグマ(教義)、すなわち、言語はコミュニケーションのための道具であるというドグマの根幹を揺るがす事実です。このドグマは哲学でも言語学でも広く行き渡っていますが、明らかに誤りなのです。計算の観点から最も単純なシステムは狭義統辞法と形式意味論を組み込んでおり、ある種の「思考の言語」を生み出す、と信ずべき証拠が次々と挙がっています。となると、線的配列とか他の種類の配列は、おそらく感覚運動システムの特性の反映に過ぎないのです。そういった配列は言語そのものにはあまり関係がありません。実際のところ、言語の主な複雑さはその配列の部分にあるのです。第二言語を学習するとき、あるいはおそらく第一言語を学習するときも、獲得しなくてはいけない主なものは、外在化のシステムです。外在化のシステムを獲得することは大変なことです。反面、外在化以外の部分は教えてもらうことは出来ません。どうしてかというと、誰もそれが何か知らないからです。それはちょうど、どうやって歩くかを教えてもらうとか、そういうことと同様です。

こういった構図が形をとってくると、それは進化の歴史に関して私たちが知っているごく僅かなこととうまくかみ合ってくるように思えます。過去一五年ほどの間に言語の進化に関する出版物が爆発的に増えてきているという奇妙な事実があります。たまたま、昨年の夏に国際言語学者会議〔第一九回国際言語学者会議、二〇一三年七月二一〜二七日、ジュネーブ大学〕に出席したのですが、そこでの発表のたぶん三分の一ほどは言語の進化に関するものでした。これは本当にとても奇妙なことです。まず第一に、そういうトピックは存在しません。諸言語は進化しません。言語は有機体ではありませんから。言語は、変化はするでしょうが、進化はしないのです。進化する唯一のものは、言語に関する能力です。そして、言語に関する能力については、二つの事実しか我々は知りません。かなりの確信を持って言えるそのうちの一つの事実は、過去五万年から八万年の間には——つまり、大まかに言って、それくらいの時期に人類が東アフリカから出始めたわけですが〔現在の研究では、もう少し以前と考えられている〕、その後には——何も進化していないということです。人類が東アフリカを出た後には、何も進化せず、全人類は我々が知る限り同一（つまり、認知的に同一）です。この期間には何の進化も起こっていません。

五万〜八万年前からさらに五万〜一〇万年くらい遡ると、言語が存在していた証拠は全くありません。考古学的証拠は、その期間内に極めて突然の事象が起こったことを指し示しているように見えます。進化的観点からすると、それは時間的に非常に短い間に起こったことであり、おそらく、ある時点で一つのことが起こってそれが事の全てであるということを意味しているのでしょう。計算論的に見て完璧な(あるいは完璧に非常に近い)システムが極めて突然創発したとすることは、進化に関して我々が知っているごく僅かのことにうまく整合します。たぶん併合が発生し、それは雪片のようなもので、自然の法則に従って発生し、併合に関する様々な事柄も全て物理法則に従って動いているということなのでしょう。このことを確証するにはまだまだ研究が足りませんが、極めて生産性が高い研究活動を主導するための研究目標として機能する程度には現時点でも充分に明確に定式化されていると私は思っています。これが、概略、現在のこの分野の研究状況です。ですから、一九五〇年代とは相当変わってきていると言えますね。

――わかりました。いまさっき言及された問題と関連して、『統辞理論の諸相』の中で議論されている実行可能性の要請に関して質問させてください(原著61-62頁、福井・辻子訳147-148頁)。すなわち、候補に挙がっている文法に(評価手続によって)付与される価値(value)の値は分散していなければならないという要請です。原理・パラメータの枠組みが採用されたので、この要請はその存在意義がなくなったのでしょうか。このことと関連して、やはり『統辞理論の諸相』の中で「データが充分に豊かで、かつ、可能な文法のクラスが充分に制限されているため、……利用可能なデータと適合する文法は一つだけしか存在しないということも、論理的にはあり得る。この場合には、評価手続は……必要なくなるであろう」と述べています(原著37頁、福井・辻子訳98頁)。この点に関するご意見をお聞かせください。

チョムスキー　そうですね、これは現在でも盛んに議論されている研究領域です。例えば、チャールズ・ヤングの研究を取りあげてみましょう。これはかなり筋が通った意見だと私は思うのですが、ヤングは、子供は基本的に全ての言語を知っている状態から言語獲得を始めると示唆しています。子供は自分が獲得する言語がどの言語なのか最初は何の情報も持っていないのですから、ある意味、こう仮定せざるを得ないのです。言語学習においてその後に起こることは、確率の変化であるとヤングは論じています。つまり、データが入ってくるたびに、ある種の言語はそのデータに反していることがわかり、その結果、それらの言語が子供が獲得しようとしている言語である確率は下がっていくわけです。そして徐々に収束が起こる。事実として、どんなに言語的経験が限られていても、我々は言語を話すようになります。我々は実際には様々な異なった言語を話しているわけです。それらの「言語」のことを異なったスタイルだとか方言だとか言いますが、いくらか異なった「言語」(専門用語でI言語(I-language)と呼ばれるもの)であると考えることが出来ます。ヤングは収束が起こる必要はなく、確率上のピークが得られれば良いのだと示唆しています。これらのピークによって、ある特定の言語が現に子供の周りで使われている言語ということになるのです。彼はこの主張に対していくつかの証拠を提出しています。充分豊富な証拠とは言えませんが、ここに一つの可能性があることは確かです。一つの可能なアプローチと言えるでしょう。

もう一つのアプローチは、例えばマーク・ベイカーの『言語のレシピ』(Baker 2001)で提案されています。ベイカーはその本の中で一種のパラメータの階層を示唆しています。パラメータのいくつかが最初にその値を決定されて、そのことによって他のパラメータの選択を制限するように働きます。例えば、多総合性パラメータはその値が決定されると後に来るパラメータの値を制限します。そうやって、パラメータ値の値を決めながら様々な可能性のフィルターを通って、最後にルイジ・リッツィやリチャード・ケイン等がマイクロ・パラメータと呼んでいるものに行き着くのです。ここには非常に広範囲のものが含まれます。

――ですが、パラメータの階層というのはどこから来るのでしょうか。普遍文法によって与えられているのですか。それとも、どこか別のところから導き出されるのでしょうか。

チョムスキー　何らかの計算論的根拠を示せれば別ですが、そうでないかぎり、パラメータの階層は〔普遍文法が規定している〕生得的なものということになるでしょうね。この問題に対する一番望ましい解答は――どうやってその解答を定式化すればいいのか見当もつきませんが――ある種のパラメータ、例えば(ベイカーが正しいとすれば)多総合性パラメータが計算論的観点から考えて最初に来るパラメータでなければならないということを、最小計算の原理が要求する、というものです。どうやったらこの結論を形式的に導き出せるのか、私にはちょっとわかりませんが、これが一つの可能性であることは確かです。もしこの可能性が実現しないとすると、パラメータの階層はどうにかして生得的に規定されているということになります。でもそうすると、一体どうしてそんなものが進化してきたのかという問題が生じてきます。普遍文法の中に何かを想定するときは、必ず進化の問題を提起していることになるのですよ。なぜなら、普遍文法の中のものは進化の結果生じたものなのですから。

ちなみに、この問題は言語学に特有の問題ではありません。あらゆる領域において同様の問題が生じるのです。人間はなぜ両側相称性を持つのか。なぜ脊椎を有するのか。なぜ今あるような視覚システムを持つのか。同じ問題はあらゆるところで生じます。興味深いのは、言語の領域においてのみ、こういった問題の存在が、全体のアプローチに何か誤りがあることを示しているものと受け取られるのです。これは驚くべきことです。なぜなら、この問題は普遍的なものであり、いたるところで生じている問題だからです。

言語以外の生物学の分野では、この問題の存在は当然のこととして想定されているのです。答えは誰にもわかりません。ただ、答えがわからないということは、やむを得ないこととして了解されているのです。複雑すぎる問題なのです。しかし、この問題の存在が何らかのパラドックスであるなどとは、言語以外の領域では考えられていません。言語に対して人々がアプローチする仕方は実に奇妙なものです。

言語哲学とか認知科学の文献を読むと、「もし普遍文法が本当に存在するのなら、それに関する理論が現在に到るまで得られないのは一体なぜなのか」という主張が頻繁になされています。これはちょうど、「もし視覚システムが存在するのなら、それがどう働くか我々に理解できていないのは一体なぜなのか」と訊くのと同じです。その通りですよ。我々にはまだ視覚システムがどう働くか理解できていません。こういうことは、自然科学の領域では当たり前のこととして了解されているのです。でも認知科学においては、全ての合理性が消え去ってしまいます。

——なぜそんなことが起こるのでしょうか。

チョムスキー　これは奇妙な現象です。歴史を遡ると、人間が人間自身に関して考えることが実に大変だったことがわかりますが、おそらくそのことが原因でしょう。物理世界については、我々は客観的に——比較的客観的に——考えることが出来ます。生物界について考えるときは、それより客観性が下がりますが、何とか考えられます。ところが、自分自身について考えようとすると、我々は完全に非合理的になってしまいます。この態度は「方法論的二元論」(methodological dualism)と呼ばれることがありますが、実に広く流布している態度です。形而上学的二元論は破棄されましたが、それよりもずっと悪いのがこの方法論的二元論です。この二元論は、何の正当性も持っていません。その基本的主張は、我々が自分たちの心的および感情的世界を扱うときは、世界のそれ以外の部分を扱うときに用いる科学的規準とは異なる規準を用いる、というものです。これは実に有害な主張です。形而上学的二元論にはある程度の正当性がありました。ですから、それは科学だったのです(間違った科学ではありましたが)。しかし、方法論的二元論のほうは、単に、人間のありようの一部が自分自身に関して合理的に考察することをどういうわけか拒んでいる、ということでしかありません。この傾向はあらゆるところで見られます。

例えば、この言語の進化という領域を考えてみましょう。自然科学の分野だったら、もし誰かが「私は視覚システムの進化に関する理論を持っているが、私が知る唯一の事実は、人々はテレビを観るためにそれを用いているということだ」と言ったら、みんな笑うでしょう。では言語の進化に関してはどうでしょうか。文献を見てみると、そこには「我々はコミュニケーションのために言語を用いている。では、それはどう進化してきたのだろうか」という風に話が進んでいきます。これはちょうど、「眼はテレビを観るために用いられる。では、それはどう進化してきたのだろうか」と言うのと同じですよ。科学ではこんなことを言ったら笑われます。でも、この分野ではこういった話が極めて真剣に取り上げられているのです。

——そうですね、言語の進化に関しては次から次へと色々な話が語られています。

チョムスキー　どんな話でもいいんですよ。さっき言ったように、言語の進化に関しては二つの事実しかわかっていません。一つは納得がいく事実、もう一つは大体において妥当性がありそうなことです。

——ここでちょっと話題を変えて、心理言語学および神経言語学的研究に関して質問してよろしいでしょうか。科学技術振興機構(JST)CRESTグループは、最近の研究で、脳内の統辞的計算においては、しばしば言及される線的(左右)順序や記憶の限界などの要因とは独立した、構造埋め込みの深さによって定義される「併合度」という概念が重要な役割を果たしていることを示しました(Ohta, Fukui & Sakai 2013を参照)。しかし、この種の研究は心理言語学や、もっと最近では人間言語に関する神経科学的研究においては、あまり見受けられないもののように思われます。こういった分野に関するご意見をお聞かせください。

チョムスキー 派生の複雑さの理論を取り上げてみましょう。ジョージ・ミラーと彼の共同研究者たちが極めて早い時期に提案したアイデアは、記憶と知覚に関わる標準的な尺度は文生成において適用された変換の数によって予測できる、というものでした。このアイデアを支持するいくつかの結果が得られたのですが、様々な理由からこの考えはうまくいきませんでした。

さらに、例えば一九七〇年あたりであれば、現代的な意味における心理言語学を進める主な試みの一つとして、句境界を同定するための実験的方法を見つけようとするものが挙げられます。フォーダー、ベヴァー、そしてギャレットによる、よく知られている一連の実験があります(Fodor, Bever & Garrett 1974を参照)。クリック実験と言われているもので、この実験の基本的枠組みは、クリック音(カチッという音)を話されている文の中に挿入して、被験者がそのクリック音を文のどこで聞こえたと捉えているかを尋ねるというものです。クリック音は、実際にそれが挿入された位置とは異なる位置にあるものとして知覚されていることがわかりました。このことに関するフォーダーたちの仮説は、クリック音を知覚の上で句の端に移すような構造的原理が存在するというものでした。例えば、John saw Bill(ジョンはビルに会った)において saw の内部にクリックを挿入すると、そのクリックは句境界がある John と saw の間に挿入されていると知覚されるのです。多くの実験がそうであるように、簡単な事例についてはこの実験もうまくいきました。しかし、フォーダーたちが本当に興味を持っていた事例については、色々なことがはっきりせず、良い結果を得ることが出来ませんでした。彼らが本当に興味を持っていた事例は、John expected Bill to leave(ジョンはビルが立ち去ると思っていた)などに見られる例外的格付与と呼ばれる現象です。こういった文において Bill が expect の目的語なのか、それとも to leave の主語なのか、については、言語学の中でも未解決の問題になっています。どちらを示す証拠も存在するのです。現在では、この現象の本質は言語学的によく理解されていますが、当時は曖昧模糊とした状況でした。Bill が実際にはどこに位置しているかという問題があり、それについて相矛盾する証拠が存在する。フォーダーたちは、クリック実験が Bill の位置づけに関して答えを与えてくれるのではないかと思ったのです。つまり、クリック実験によって、曖昧性なしにどの位置に Bill が知覚上位置づけられるかわかるのではないかと思ったのです。でも実験はうまくいきませんでした。

これと同じタイプの問題は他にもたくさんあります。つまり、言語学的に相矛盾する証拠が存在して、どちらとも決めかねるような問題です。こういう場合、他の種類のテクニックを用いて問題を解決できるかもしれません。この事例については、クリック実験はうまくいきませんでしたが、他のアプローチならうまくいくかもしれません。そして、同様のケースは他にもたくさん考えられます。

——今度は統辞論の少しばかり技術的な問題について質問させてください。併合に基づく理論の内実を見ると、併合が行なうことが出来る作業は、変換の一部と句構造規則の一部を組み合わせたもののように思われます。つまり、併合は句構造文法が出来ることを全て出来るわけでもないし、文法的変換が出来ることを全て出来るわけでもありません。句構造文法や変換文法は非常に強力な装置です。特に、あなたの初期の頃の研究で提案されていた変換は大変強力でした。様々な要素の再配列はもとより、要素の削除、挿入なども出来ました。ですから、併合は変換がかつて行なっていた操作のほんの一部だけが出来るような演算ということになります。同様に、句構造文法がかつて行なっていたことも全て併合が出来るわけではなく、併合が出来るのはその一部に過ぎないように思われます。

チョムスキー　そうです。そして、そのことには非常に重要な意味があります。最初期の研究を見ると——実際にはほんの二〜三年前までの研究にもあてはまることですが——どうにかして捉えなくてはいけない言語の諸特性というものがあって、それらを捉えるために様々な装置が提案されていました。そういった特性の一つは、合成性(compositionality、構成性)で、もう一つは順序、左右の線的順序です。さらに、転置の特性も捉えなくてはいけませんし、投射(projection)も捉えなくてはいけない。これらの諸特性がかつてどのように捉えられていたかというと、合成性、線的順序、そして投射は、すべて句構造文法において捉えられていました。転置は変換文法において捉えられていました。

これらの諸特性をどう捉えるかについての現在の認識はかつてとは全く異なるように私には思えます。まず、線的順序は言語本体には属していません。順序は感覚運動システムの特性であり、言語そのものの特性ではないと私は思います。言語にとって、線的順序は周辺的な部分なのです。そうなると、残るのは合成性、転置、そして投射ということになります。

合成性と転置は併合によって捉えられます。但し、あなた方が言ったように、ある限定された形でのみ捉えられるのです。投射の特性に関しては——よく考えてみるとこの特性は他の特性とは異なっていることがわかるのです。他の特性は全て、多かれ少なかれ、目で見ることが出来ます。それらはみんな表層に近い特性なのです。線的順序も目に見えますし、合成性も見ることが出来ます。ところが、投射は目で見ることができません。投射は理論的概念であり、転置のような、はっきりと目に見える現象とは違うのです。投射の概念は合成性や転置と同じところに属するものではないと私は思います。投射というのは、実は最小探索(minimal search)に過ぎず、併合からは分離すべきだと思っています。それが「投射の諸問題」(Chomsky 2013)が論じたことです。もし投射を構造構築のプロセスから外し、Xバー理論が導入した内心性の規定を廃止すれば、残りは、全ての統辞体に対してそれが一体「何」かという特徴づけを行なう何らかの原理から成るシステムになります。この原理は言語表現の解釈を行なうシステムにとって必要です。何かの単位を解釈しようとすれば、それが名詞なのか動詞なのか、あるいは名詞句なのか動詞句なのかを知ることは必要不可欠です。こういった特徴づけを行なうのが最小探索だと思うのです。

——でも、その場合、一体誰が探索を行なうのですか。

チョムスキー　誰が、ですか?

——そうです。誰が——あるいは何が——最小探索の条件の下で探索を行なうのでしょう？

チョムスキー　それはちょうど、何が併合を行なうのか、という問いと同じですよ。あなたがコップに手を伸ばそうとしたとき、あなたの筋肉をどう動かそうか決めるのは何か？

——私たちが気にしているのは、通常の探査子‐目標（Probe-Goal）システムとの関係です。通常の探査子‐目標関係の場合は、はっきりと同定可能な探査子があって、それが何らかの最小探索条件の下に目標を探索するわけです。しかし投射の場合は、探索を行なう主体が明確ではないように思うのです。主辞が自分の補部を同定するために探索を行なっているのでしょうか。

チョムスキー　いえ、そうじゃないと思います。

——違いますか？

チョムスキー　主辞による補部の探索というと、選択みたいなものじゃないでしょうか。

私は、選択は統辞的特性ではないと思います。このことはかなり早い段階で指摘されていたのですが、選択といわれているものは極めて複雑で内容豊富なシステムなのです。一般に、動詞は名詞句を探すといわれますが、特定の動詞は特定の名詞句を見つけ出さないといけないわけです。そして、どういう特定の名詞句が動詞によって見つけ出されるかということは、その名詞句が持つ非常に複雑な特性によって決まるのです。例えば、hit(殴る、打つ、等々)という動詞を考えてみましょう。この動詞は「殴られる(打たれる、等々)ことが可能な類いの物を取る」わけですが、この「殴られる(打たれる、等々)ことが可能な類いの物」という概念は、名詞句が持つ高度に複合的な意味特性です。これは、その名詞句がどう解釈されるかに関わる問題です。

そしてこういった問題は、個人の信念システムを含むあらゆる種類の要因が関わっているのです。ですから、選択の問題は、概念・意図(志向)インターフェイスにおいて生じる問題だと思うのです。

——それではこのラベル付けの問題はどう関わるのでしょうか。ラベル付けは、ちょうど感覚運動側で線状化が行なわれなければいけないのと同じように、こちらは概念・意図(志向)側の理由によって適用されなければならない、ということではないのですか。もしそうなら、線状化もラベル付けも移送(Transfer)の過程で引き起こされる演算であると言うことは出来ないのでしょうか。

チョムスキー　ラベル付けは、ちょうど併合が行なわれなければいけないのと同じ理由で行なわれなければいけないのです。そうでなければ、解釈すべき対象が存在しないからです。

――では、ラベル付けは移送とは直接の関係は持たないのですか。それと、ラベル付けのメカニズムは探査子－目標で用いられるメカニズムとは異なるものなのでしょうか。

チョムスキー　いや、同じものだと思います。

――同じですか。最小探索の具現化という意味で同じ操作だということですか。

チョムスキー　おそらくそうでしょう。一致演算(Agree)や他の探査子－目標関

福井直樹

係を見てみれば、そうではないかと思えます。

——だとしたら、ラベル付けの場合の探査子は何ですか。何かの素性ですか。

チョムスキー　探査子はつまり……そうですね、同定可能な探査子はこの場合何もありませんね。何かを見つけようとするための探索手続があるだけです。統辞体を見て、それが何かという問いを発するような探索手続です。ちなみに、こう考えると一致演算もこういう風に定式化することが可能でしょう。つまり、一致演算の場合も探査子は存在せず、単に非付値素性(unvalued feature)を探索し、もしそういった素性を見つけたら、それとの関係によって値が与えられるような何かをさらに探す、ということですが、これが探査子 - 目標関係です。全て、探索に還元されるのです。

探査子 - 目標という概念をあまりに文字通り受け取るべきではないと思います。例えば、時制と主語の場合、時制が主語を探索していると考えることが出来ますが、これはある種の擬人化を施していることになります。本当は、ある関係が存在している、というだけです。そして、その関係は、計算上最小の関係でなければならず、最小の関係が非付値素性に値を与える、ということでしょう。付言すれば、値の付与は両方向的です。例えば、時制はφ素性の値を与えられますが、主語のほうは格を与えられるわけです。

ですから、探査子‐目標というのは、非付値素性に値を与えるような関係——最小計算によって確立される関係——に過ぎないということになります。ここで、そもそも言語はなぜ非付値素性などというものを持つに到ったのかという興味深い問題が浮かんできます。非付値素性は値を持たないのですから、言語システムの中で何もしていないのです。では、一体何のためにそんな素性があるのでしょう？　私は、非付値素性はおそらく「フェイズ」(相、phase)を同定するために存在しているのではないかと思っています。もし効率的な計算システムを求めるならば、それは何らかの形で連続巡回的でなければなりません——おそらく、厳密巡回的でさえなければならないでしょう。ですから、厳密巡回性は計算上、非常に重要な特性なのです。つまり、何かに関する計算が終了したら、そのことは忘れてしまえるという特性ですね。これによって、大量の計算を省くことが出来ます。

しかし、厳密巡回性は何らかの形のフェイズ理論を要求します。そうなると、「何がフェイズなのか」という問いが出てきます。そして、どうやらフェイズというのは、非付値素性に値を与えることと関係しているようなのです。この考えだと、v^*ＰとＣＰが基本的なフェイズということになり、これらの領域が、非付値素性が値を付与される領域となりますが、これは他の観点から見ても正しいと思われます。このことによって、非付値素性に対するある種の進化的動機づけとして、厳密巡回性が適用される領域を同定するということが少なくとも示唆されるのです。

——併合と最小探索は異なったシステムあるいは演算だと思われますか。

チョムスキー　異なっているように見えますね。もしかしたら、併合と最小探索を統一する手段があるのかもしれませんが。一方で、共通する要素もあります。併合も単純な探索を要求します。例えば、作業空間(ワークスペース)の中に二つの統辞体があって、それらを併合しようとするとします。そのとき、一つの統辞体の中を覗いて、そのある部分をもう一つの統辞体とくっつけることは許されません。そういった操作は併合とは違う演算になってしまいます。統辞体の内部を見ることは、最小探索より複雑な操作になります。最小探索は、統辞体全体を対象として選ぶことを要求するのです。

——確認のための質問です。内的併合をXとYに適用するとき、そのうちの一つ——例えばY——の内部を見て、Xを同定することは許されますよね。その結果、XをYに内的併合できるわけですから。この場合、併合という演算自体は統辞体の「根」の部分で執行されるわけですが、その前段階として統辞体(Y)内部を見ることが必要とされているように思えます。この、Yの内部でXを探索する「予備的」操作は併合本体とは異なる操作なのでしょうか。

チョムスキー　その場合のプロセスは以下のように考えることが出来ます。まず、作業空間を考えます。ここでは、辞書(語彙)へのアクセスが可能であり、また既に構築された統辞体もやはりこの作業空間に含まれています。派生を先に進めるためには、作業空間からXを選択し、さらにYを選択してXと併合します。この場合、Yは作業空間内のXとは異なるもう一つの要素であることもありますし(外的併合)、あるいはXの一部であることもあります(内的併合)。作業空間において適用される厳密に二項枝分かれ的な演算にとっては、これらが唯一の可能性です。XかYどちらかの内部にある要素を移動して、もう一方の統辞体にくっつけることを許すようなアプローチもあります。そういったアプローチでは、多次元性の概念が生じることになります。これは併合の適用に過ぎないというように論じられていますが、それは間違いだと私は思います。そうではありません。多次元性を許すアプローチは、まさにあなたがいま述べた論点に関連するところで併合の条件を破っているのです。つまり、併合自体に対する最小探索の要請に違反しているわけです。実際のところ、このアプローチで用いられる関係は二項関係ではなく、本当は三項関係なのです。まず、作業空間内に一つの項目を見つける。次にその項目の内部に何かを見つける。これで二つです。そしてさらに、この何かをくっつける対象である別の要素、つまり三つめの要素を見つけるのです。多次元性は記述上の目的のために用いられるので、文献においては実におかしな形で使われていますが、もし、こんな装置が自由に使えるようになったら一体どんなことが起こるか考えてごらんなさい。完全に滅茶苦茶なことになってしまいますよ。そうなったら、コピー(copy)を反復(repetition)と区別することさえ出来なくなるし、フェイズをどうやって特徴づけるかもわからなくなります。多次元性を許してしまえば、理論は総崩れになってしまうと思います。

ところで、しばしば見過ごされていると思われる方法論上の論点があります。それを研究することが興味深く、また意義があるような現象例は――例えば、寄生空所、先行詞包含削除、等々ですが――一種風変わりで馴染みがないものが多いのです。風変わりだからこそ興味深いのです。これは何を意味しているかというと、人々(話者)は、こういった現象の特性は知っているけれども、そのことを示す経験的証拠は一切持っていないということです。これが「風変わりな」(exotic)ということの意味です。ですから、寄生空所に関してほとんど何も証拠は持っていないのに、極めて入り組んだ直観をそれに対して有しているのです。このことが方法論的に何を意味するかというと、例えば先行詞包含削除に対する正しい説明というものは、通常の原理を用いたものでなければならないということです。この現象を説明するために新たな原理を導入することは許されないのです。もし、何か風変わりな現象を説明するために新たな原理を導入したとしたら、それは誤りなのです。その新しい原理を、話者は自分の中で一体どうやって発達させることが出来たのでしょうか？

この観点から文献を検討してみると、その多くがこの条件を満たしていないことがわかります。つまり、もう少し正確に言うと、いま述べた観点から見ると、文献で提案されている分析はみな記述的なのです。記述としてはおそらく非常に有益なのですが、理論的基盤を欠いているのです。いま触れたような構文に関する研究の多くは、新しい概念を導入しています。遅発併合であるとか多次元性であるとか、そういうものは正しいはずがないのです。なぜなら、例えば「今まで聞いたこともないこの構造のために新たな原理を私は作ることにします」などと子供が言うことはあり得ないからです。そんなことは意味不明です。ですから、理想として掲げるべき方法論上の強力な条件があることになります。

ちなみに、形式意味論のほとんどはいま言ったような特徴を持っています。形式意味論はもっとも単純な解決案を追究しようとはしていません。新しい表記法や用語法を作り上げて、現象の記述がうまくいくように新たな原理を提案しているだけです。形式意味論の研究は、現在行なわれているもっとも刺激的な研究のいくつかを含んでいますし、それは素晴らしいことです。素晴らしい予備的段階と言えますが、それはあくまでも予備的段階なのです。ちょうど一九五〇年代の変換文法のようなものです。うまくいくのならば何でも作り上げてしまおうというわけですが、何かを始めるためには、最低限それはしなくてはいけないことなのです。でも、そういうことはあくまでも物事の始まりであって、次の段階では、「では、なぜこういう具合になるのだろう?」と問わなければならないのです。

——併合についてもう一つ訊かせてください。併合と変換を比べてみると、古典的な意味での変換よりも併合の方がより強く構造依存的であると思いませんか。変換はあくまでも終端連鎖に作用し、その派生構造が一般原理と規約で決定されるわけですが、併合は構造そのものに作用します。

チョムスキー　階層構造のみを作るわけですね。決定的に重要な相違点の一つは、併合では線的順序が指定されていないことです。

——そうですね。

チョムスキー　統辞法と意味論に関するかぎり、線的順序を規定しないことは正しいと思われます。もう一つの相違点は、あなたが見せてくれた論文で論じているように、併合は変換よりもはるかに少数の可能性しか許さないということです(Fukui 2015を参照)。

――少なくともある特定の側面に関しては、併合システムの方が句構造文法と古典的変換を組み合わせたシステムよりもずっと制限されているということですね。

チョムスキー　そうです。そしてそれは良いことです。人間言語ではある特定のことしか可能でなく、我々としては、なぜそれらだけが可能なのかという理由が存在するということを示したいのです。変換文法においては、およそ存在し得ないようなあらゆる種類の想像上の言語を作り出すことが可能でした。変換文法の枠組みでは、そういう、実際には存在し得ないような諸言語も問題なく許容されていたのです。もしそういった諸言語が存在し得ないということを示せれば、真の説明に向けて歩を進めたということになるでしょう。ちなみに、併合が「より制限されている」という言い方は少々誤解を招きやすいかもしれません。なぜなら、併合は最も単純な計算上の操作だからです。どのような計算的プロセスにも、何らかの形で併合は埋め込まれています。それに対して、句構造文法や変換文法は言語に固有の複雑な概念です。この分野の研究が一九五〇年代初頭からずっと目指してきた理想――つまり、進化上発生可能なシステムを追い求めるという理想から、句構造文法や変換文法はかけ離れたところにあるのです。

——もし併合のみを仮定するならば、弱生成に対する幻想はもはや生じないはずですよね。そう思いませんか。

チョムスキー　弱生成の概念が何も意味していないということは、一九五〇年代でさえ明らかでした。

——強生成は少なくとも記述的妥当性に関わっていますからね。

チョムスキー　ええ、強生成は少なくとも記述的妥当性と関係しています。弱生成は何とも関係していません。言語学的観点から見て、弱生成を持ち出す唯一の理由は、有限オートマトンでは人間言語を扱えないということを示すためには弱生成を考えるだけで充分だったからです。それ以降の議論では——例えば『言語理論の論理構造』を見ればわかるように——弱生成は全く言及さえされていないのです。どうしてかというと、言語学的意義が全くないからです。なぜ『統辞構造論』で弱生成が論じられているかというと……

──『統辞構造論』はＭＩＴでのあなたの学部生用授業のための講義録に基づいているからですよね。

チョムスキー　ええ、私は当時、ＭＩＴの学部生を教えていました。ＭＩＴの学部生は、当時の標準的な想定をごく当たり前のものとして受け容れていました。つまり、人間言語(そしてもっと一般的には人間の認知能力)は、有限オートマトン──あるいは確率を加えてマルコフ源にすることも出来ます──の守備範囲内に、実際には有限オートマトンの中でも非常に限定されたタイプのオートマトンの守備範囲内に収まるものだという想定です。従って、有限オートマトンの一番大きなクラスを取ってきても、その中で扱うことが出来ない基本的な特性を人間言語が有しているということを示すことには意義があったのです。ですから、『統辞構造論』の最初の何ページかには、「ほら、有限オートマトンではうまくいきませんよ」というような議論があります。そして驚くべきことに、どうやらその何ページかだけが、『統辞構造論』の中で唯一読まれている箇所なのです。この状況が……

──そういう状況がいくつかの誤解を生むことになるのですね。

チョムスキー　とんでもない誤解を生んでいるんですよ。実際は、『統辞構造論』の残りの部分はすべて、最も強力な句構造文法でさえ人間言語を扱うことは出来ないということを論じているんです。

――でも、弱生成に関しても、あなたはいくつかの研究をしていますよね。

チョムスキー　まあ、オートマトン理論の観点から見ると興味深い点もあったからです。でも、私が知るかぎり、弱生成に関する唯一の結果は、入れ子型依存性に関する些細な結果です。ちなみに、この結果も誤解されているのです。しかも、リチャード・スプロートなどの、かつてのＭＩＴの学生を含む人たちによって誤解されているのですよ(Mohri & Sproat 2006 などを参照)。文献を見ると、有限オートマトンの非妥当性に関する私の論証が誤りだったと主張する論文が今やたくさん存在します。スプロートの論文もそうです。彼の議論は以下の事実に基づいています。有限オートマトンによって生成できない言語を取ってきて、その言語をより大きい言語に埋め込むことができ、しかも、そのより大きな言語を支えるシステムは有限オートマトンの範囲に留まる、というものです。ですから、有限状態言語ではない言語Lがあるとき、それをより大きい言語L′に埋め込むことが出来る。その結果、全体のシステムは有限状態に留まる。

しかし、このことは私が提出した論証とは関係ありません。私の論証のポイントは、入れ子型依存性はその言語全体に関する特性だということです。「PならばQ」(If P, or Q)という文が存在しないという事実は、その言語全体に関してのものなので、与えられた言語をより大きい言語に埋め込んだときにどうなるかという観察は、ここでの論証には完全に無関係です。当該の言語は入れ子型依存性を含み、かつそれらのみを含むのです。私の論証に対する誤った反論は、決定的に重要な「かつそれらのみを含む」という部分を無視しているのです。ジェフリー・プラムのものにしろ誰のものにしろ、他の全ての反論もみんな問題外です。真の反論になっているものは何もありません。こういった自明な事実さえ理解されないのです。

実際のところ、入れ子型依存性に関するこのポイントを証明しようとした人など誰もいません。なぜなら、自明なことだからです。もしこの事実を数学者に示しても、彼らは証明を要求したりしませんよ。あまりにトリビアルなことだからです。ここにも別の形の方法論的二元論が現れています。数学者なら気にもとめないトリビアルな事柄に関しても、必ず証明を示さなければならないと、言語学者は考えるのです。科学の諸分野の中で、言語学は、全ての事柄が形式化されていなければならないとされる唯一の分野ですよ。物理学は形式化などされていません。もし本気で形式化しようとしたら、おそらくうまくいかないでしょう。わからないことが多すぎるので。

――句構造文法に対してあなたが提出した論駁についてはどうですか。こちらについても、やはり誰もきちんと理解していないように見えますが。

チョムスキー　ほとんど誰も理解していませんね。その通りです。ですから、あなたが構造生成に関して先の論文で論じている事柄が非常に重要だと思うのですよ。『論理構造』も『統辞構造論』も、それから専門的論文の「言語記述のための三つのモデル」(Chomsky 1956)なども全て句構造文法への反駁なのです。まず有限オートマトンに関する観察があり、それを基にして有限オートマトンは人間言語の記述装置としては問題外であると結論します。では句構造文法はどうか。句構造文法ではWH移動や能動・受動関係、あるいはその他多数の転置の現象が説明できません。言語の他の側面に関しても、やはり句構造文法ではうまく取り扱えない。ですから、句構造文法が言語の一般理論としての役割を果たすことは不可能です。そして、上述のように、一九六〇年代までには句構造文法は生成文法の一部門としての役割さえ果たさなくなったのですが、この動きにはもちろん真っ当な理由があったのです。

――それにしても不思議なのは、形式的(数学的)方法に関する訓練を受けていると思われる人々――例えば、生命科学者とか計算機科学者とか――でさえ、その論点を理解していないように見えることですね。

チョムスキー　彼らも理解していません。彼らが何を理解していないかを見ると本当にびっくりします。例えば、計算論的認知科学者を考えてみましょう。ジェフリー・エルマンや他の人たちは、もし二つのレベルから成る埋め込みを可能にするシステムを作れば問題は全て解決する、と何度も何度も主張するのです。これはちょうど、もし頭の中で実際に行なうことが出来る数の計算を説明する算術の理論があれば、人間が持っている算術の知識を説明できたことになる、と主張するのと同じです。ついでに、さっき触れたあなたの論文に関して一つコメントをしますと、中央埋め込みについて、人間はだいたい七つの埋め込み程度までは(短期記憶の限界として)記憶の補助なしで処理できる、ということは述べておいた方がいいかと思います。このことは『統辞理論の諸相』で言及されていますし、それ以前に、ジョージ・ミラーと私の共同研究(Luce, Bush & Galanter 1963の中の論文を参照)でも議論されています。もちろん、そんな複雑な文は実際には使われません。複雑な文は一般的に使われませんから。しかし、ちょうど短期記憶と同じところで処理可能性の切断が起こるということと、記憶の補助さえ与えられれば延々と埋め込み構造を続けられるという事実からして、言語のシステムがテューリング構成(Turing architecture)を有していることは明らかです。つまり、定まった規則群が無限の射程を持って存在しており、システムの構成は計算の複雑性が増しても変更される必要がないということです。これが決定的に重要なポイントです。あなたは論文の中のどこかで、言語の埋め込みが無限に続くことを示すためには繊細で微妙な実験を行なう必要があるだろうと言っていますよね。でも、もし誰かが例えば算術の知識に関して何か知りたいとして、人間が頭の中で——記憶の補助なしに——何が行なえるかをモデルにしてしまったら算術の知識に関しては何もわからない、と指摘することは微妙でも何でもありません。重要なのは、紙と鉛筆を与えられたときに、人間は何が出来るかです。そうすれば、いくらでも文の処理も計算も続けることが出来るのですから。

算術の研究においては、こういうことはあまりに自明なことなので誰も取り立てて言いもしません。しかしここでも、言語の研究においては、このことにわざわざ言及しなくてはならないのです。エルマンとかスタンリー・レヴィンソンといった人たちはこういう事柄を全く理解していません。彼らが言うには、実際のコーパスを見ると二つあるいは三つのレベル以上には埋め込みは起こっていない、だから何も起こっていないのだ、ということです。全く無意味な意見です。些細な実験を一つやれば、問題のプロセスが無限を含んでいることが示せます。例えば、命題PとQがあるとき、「Pならば、Q」

は文だが、「PならばＰ、またはQ」は文ではない。これで終わりです。問題のプロセスは無限を含むのです。

こういった自明なことさえ理解されないのですよ。ところで、この弱生成という概念自体、極めて奇妙な概念なのです。あなたが指摘しているように、それは常に有限です。でも、「どの」有限集合なのか？　次の文が得られたとして、そのときは異なった弱生成が得られるのか。この場合、有意義な有限集合というものは存在しないのです。巨大な有限集合は存在しないからです。集合は、何らかの形の(短縮表記を含んでいること もある)リストと同等のものによって与えられるか、あるいは、際限なく適用することが出来る規則によって与えられるか、どちらかです。存在するのは、小さな数と無限だけです。天文学的数などというものは存在しません。数学で一種の冗談として「実際の数というのは、1と2と3と無限だけだ」という言い方があるのは、このせいです。残りは……

——ガモフの有名な本の題名にもなっていますね。

チョムスキー　そうですね。『1、2、3…無限』ですね(Gamow 1947)。

――言語と算術の関係についてもう少し話をお聞きしたいと思います。言語機能(Faculty of Language)という生物学的賦与物が言語の能力と算術の能力(自然数の概念)の両方の基礎にあると、あなたは示唆しています。つまり、共通の根源的メカニズム――おそらく併合に基づくシステム――が二つの領域において用いられていることになります。これに対しては、支持する証拠と反証となるような証拠の両方が報告されているようです。この問題全体の状況についてはどのようにお考えですか。

チョムスキー　チャールズ・ダーウィンとアルフレッド・ラッセル・ウォレスを悩ませた深刻な問題がありました。二人とも人間は算術的能力を持っていることを認識していましたが、この能力は自然選択によっては進化し得ないものでした。数を表わす語が存在しない言語もあることが報告されています。おそらく、これらの言語でも小さい数を表わす語はあるのだと思いますが――例えば、4までとか――それ以上の数を表わす語がないのでしょう。それで、このことに基づいて、これらの言語を話す人たちには算術の能力がないなどという誤解を招くような結論が導かれてきました。しかし、数を表わす語があるかないかは、おそらく算術の問題とは無関係です。ケン・ヘイルや他の人たちは、これらの言語を話す人たちが算術を完璧に理解しているという証拠を提出しています。これらの言語の話者は数を表わす別の表現方法を持っているのです。そして、彼らが市場社会に入っていけば、そこで計算をしたりすることに何の問題もありませんし、数というものは無限定に続いていくのだという考えを理解することにも何の問題もないのです。

ウォレスが提起した問題は、一体どうしてこんなことが起こり得るのかということです。なぜなら、人類の歴史を見ると、数というものはほとんど全く使われていないのです。研究や使用の対象となる分野としての算術は極めて最近になって発展してきたものです。しかも、その発展は少数の地域に限られ、種の歴史においてほとんど使用もされていません。一つの可能な説明は、算術の能力は言語のある種の派生物であると考えることです。具体的には、併合と「一語から成る辞書・語彙」を仮定すれば、算術的能力をモデル化するための枚挙のシステムを導き出すことが出来ます。これがウォレスとダーウィンを悩ませた難題への可能な——そして私たちが知るかぎり唯一の——答えです。しかし、この立場を採ると、言語能力と算術能力の乖離を何とか説明しなくてはいけません。この難題に対する一つの可能な解決案がルイジ・リッツィによって指摘されました。彼は、乖離現象は運用の問題である可能性があると言っています。つまり、ある共有された能力に違う形でアクセスしているのだというわけです。例えば、読む能力と話す能力の間には乖離がありますが、だからといって言語能力とは別個の「読む能力」というものがあると考える人は誰もいません。ですから、算術能力と言語能力は基本的に同一のシステムであり、前者は様々なものを削ぎ落とした——一つの要素しか持たない辞書・語彙に基づく——ある種の言語であると考えることが出来るかもしれません。自然数は神が造ったが、残りは人間が造った、というクロネッカーの有名な言葉を思い出してみて下さい。もしかしたら、同じことを次のように言い換えることが出来るのかもしれません。つまり、「進化が言語を造り、その派生物として算術の能力が生じた。そして、残りは人間の他の認知能力が造った」ということです。

もちろん、ここで議論しているのは算術の能力(物を数える能力)のことですよ。数の本質のことではありません。数の本質は、また別の——そして同じように不思議な——問題です。

——わかりました。今度は少々異なる類いの質問をしていいでしょうか。束縛に代表される依存関係は、かつては文法の中核に位置するものと考えられていましたが、こういった依存関係の現時点での位置づけについてはどう考えていますか。

チョムスキー　どういった依存関係ですって?

——例えば、束縛です。束縛は文法の外で扱うものとお考えですか。

チョムスキー　それは良い質問ですね。私の推測では、束縛理論の実質的部分は一致演算に還元されると思います。ということは、最小探索に還元されるということです。そしておそらく、束縛関係の決定は、概念・意図(志向)レベルで行なわれるのだと思います。束縛の一部に関わる要因は意味解釈に依存しているという、レイ・ジャッケンドフ等が述べている証拠があります。あまりすっきりとした証拠ではありませんが、そこに何かがあることは確かです。もしかすると、束縛は全てインターフェイスにおける解釈の問題なのかもしれません。ご存じのように、ハワード・ラズニックがずいぶん昔に、真の同一指示などというものは存在しないと指摘しました。関係というものは、一般に何でもありで、ただそのうちのいくつかはうまくいかないだけだ、というわけですが、もし全てが多かれ少なかれそんな感じだとわかったとしても、それほど驚きはしませんね。

今や束縛は極めて複雑な研究領域になってきています。エリック・ロイランドの本(Reuland 2011)を見てみれば、多くの興味深い現象があって、それらがどのように扱われているかわかります。ちなみに、エリックはこの本の中でなかなかうまいことを言っています。彼は束縛理論の原理A、原理B、原理Cを議論しているのですが、これらの原理について、概略、「これらは偽であるには真でありすぎるが、真であるには偽でありすぎる」と言っているのです。これは科学というものが行なわれる上での一般的なあり方です。例えば、素粒子物理学を考えてみると、それは偽であるには真でありすぎるけど、真であるには偽でありすぎるのです。宇宙の八五パーセントは無視しているんですから。でも物理学者はそんなことは気にしません。人間の自然理解は不完全だということがわかっているからです。でも、言語学者は気にするんですよ。

――先の質問を少し拡張してお訊きします。束縛理論は表示に関する原理として特徴づけられてきたわけですが、あなたは表示に関する原理はなるべく全て排除しようとしているように思えます。もしこれが、あなたがやろうとしていることの正しい解釈だとしたら、その背後にはどういう直観があるのでしょうか。

チョムスキー　そういった試みの背景にある私自身の直観は、表示に関する原理はあるにはあるのだろうけど、それらは全て――最小探索のような――最小計算の原理に還元されるべきだろう、というものです。もしかしたら、最小探索のみに還元されるということなのかもしれません。表示に関わる解釈原理ですね。何かが他の何かと結びついて解釈される。こういう関係は他のところにも観察されます。例えば、副詞です。おそらく、副詞は移動することが許されないし、構造に対併合で組み込まれる。それでも、解釈はされるのです。そして、場合によっては、副詞はかなり距離が離れた要素と結びついて解釈されます。ですから、「どのようにして解釈が行なわれるのか」を述べる、何らかの解釈原理がなければなりません。でもこの原理は、最終的には最小探索の一種であることがわかるということになると思います。

いま言った原理は表示に関わるものですが、一致演算と同様に最小探索に還元されるべきものです。もしそうだとしたら、この原理は普遍文法の原理ではありません。計算に関わる原理、つまり第三要因(third factor)による原理ということになります。

――ということは、表示上の原理は全て最小探索に還元できるということですね？

チョムスキー　もしそれが可能ならば、それらの原理は第三要因に関わる原理だということです。

――言語の中核的部分は純粋に派生的な計算からなっていて、一見、表示に関する原理のように見えるものは実は第三要因によるものである、ということですか。

チョムスキー　そうなります。中核的部分は併合のみから成っているのかもしれません。

最適な答えとしては、併合だけということになります。でも、もしかしたらその答えは少し強すぎるのかもしれません。

——あなたが人間言語の本質が派生的計算であると信じている源として、歴史言語学から昔あなたが得た「順序づけられた書き換え規則」のアイデアがあるのではないかと思ったのですが、違いますか。

チョムスキー　派生の考えが歴史言語学から来ていることに気がついたのは後になってからで、大体一九五〇年くらいですが、最初は歴史言語学のことは知らなかったのです。でも注意しなくてはいけないのは、こういったことは全て外在化に関する事柄だということです。形態音素論と音韻論に関わることですから。

このことは、言語が持つもう一つの側面に関することだと思います。問題を進化の観点から考えてみましょう。併合に基づくシステムを得たとします。そして、このシステムは雪片の出来方のように完璧に作動するとしましょう。これで「思考の言語」が得られます。ところが、さらにこのシステムを外在化しようとすると、そこで非常に難しい問題に直面することになります。なぜなら、認知能力という視点から見るとお互いに何の関係もない二つのシステムが関与することになるからです。一つは進化上、突然現れた内在的システム。そしてもう一つは、何十万年も人間の中にあったと思われる感覚運動システムです。二つのシステムの一つをもう一つに写像しなければいけません。これは困難な課題です。実際、外在化に関するあらゆる理論は、それが音韻論であろうと形態論であろうと何であろうと、およそ考え得る全ての原理を破っています。包括性の条件も破っていますし、他の様々な条件にも違反しています。理由はおそらく、二つのシステムを結びつけるという課題が複雑すぎるからです。これらのシステムを合わせて一緒にする簡単な方法は存在しないのです。

辻子美保子

ところで、最適性理論がこの課題を取り扱うやり方は、ある種興味深いですよ。話は戻りますが、昨年の国際言語学者会議で分厚い発表要旨録が配られました。それで、帰りの飛行機の中で発表要旨に目を通していたのです。全体の三分の一は音韻論に関するもので、その全てが最適性理論でした。

最適性理論に関しては、私には未だにそれに対する答えがわからない基本的な問題が存在します。この問題については、『極小主義プログラム』(Chomsky 1995)の中でちょっと触れたことがあります。音韻論がなすべき課題は、辞書・語彙を基にして構築された表現を何らかの狭い意味における音声学的表現に写像することです。あらゆる入力が何らかの最適音節――例えば、[ta]――を産み出してしまわないように、忠実性条件(Faithfulness、照合性)が導入されます。しかし、実際には忠実性は常にゼロなのです。入力と出力は実は異なるボキャブラリーから成っているわけです。忠実性は存在しません。ゼロです。つまり、最適性理論が行なっていることは、それが何であろうと――もしかしたら何か意義があることをしているのかもしれませんが――極めて表層に近いところで起こっていることだということです。でも、主要な問題はそのままの形で残っています。主要な問題とは、複雑性が生じるところに在るのです。つまり、『英語の音声パターン』(Chomsky & Halle 1968)で取り扱っている類いの問題です。こういった問題は、端的に言って、この分野から消えてしまっています。MITの大学院生も、『英語の音声パターン』で扱っている類いの問題についてはもはや何も知りません。

――それは実に残念です……。『英語の音声パターン』は我々の世代の言語学者の多くにとって、依然として生成音韻論の研究の中でもっとも興味深い研究の一つですから。

では、最後にほんの少しだけ政治社会思想に関する質問をさせてください。通常、生涯のかなり早い時期に自分がどのようなタイプの人間なのかということに(半ば無意識に)気づき、そのことが成長してからどのような政治社会思想を持つに到るかを決める基盤になるようです。そして、その後で哲学や思想の文献を渉猟するようになるわけですが、いったん世界に関する自分の見方が定まると、哲学等の分野でそういう見方にいわば……

チョムスキー　自分の見方に適合するものを選ぶ。ええ、そうだと思います。

——ご自分の基本的な世界観みたいなものを最初に意識したのはいつですか。

チョムスキー　五歳くらいのときですかね(笑)。

——五歳ですか？　そんなに早く？

チョムスキー　ご存じのように私は世界大恐慌の時代に育ちました。まず、親族はほとんどが無職の労働者階級の人間でした。私の両親は教師でしたから、職はありました。これは当時としては異例の大した職ではありませんでしたが、とにかく職はありました。これは当時としては異例のことでした。ですから、私の両親のところが、親族が集まる場所になっていました。私のいとこたちはいつも近くにいましたし、しばらくの間、私たちと一緒に住んでいたこともありました。私の伯母たちは定職がない裁縫屋で、よく我が家に来て泊まっていきました。私はとにかく大恐慌時代の家族環境の中で育ったのです。ですから、社会とか経済とかがどういうものかをいわば直接見聞したと言っていいでしょう。もう一つ、人びとが玄関に訪ねて来て、ボロ布か何かを売っているのも見ました。彼らが事実上飢えに直面しているのがわかりました。こういったことは、当時あらゆるところで起こっていたのです。

——今おっしゃったことは、フィラデルフィアでの状況ですね？

チョムスキー　今述べたのはフィラデルフィアでの情景ですが、こういったことはあらゆるところで起こっていたのです。私たちの周りは当時の最悪の状況というわけではありませんでした。中西部の黄塵地帯の自作農とは違っていました。私自身もスラムに暮らしたことはありませんし、本当に目を覆いたくなるような情景は目にしていません。でも、あれでも充分にひどい状態ではありました。

――そういう情景の中で育ったということが、あなたの世界の見方を決定したということですね。

チョムスキー　自分で意識しているかぎりでは、そうです。様々な事柄に対してどのように自分が反応するかを正確に理解することは非常に困難ですから。もう一つ、当時起こっていたことは――みんなが恐怖を感じていたのは――ファシズムの勃興です。当時私がそのことを理解していたとは言えませんが、ヨーロッパで何かとんでもなく恐ろしいことが起こっているということは、わかりました。起こっていることが何であろうとも、とにかく恐怖を感じさせる何かが起こっていたのです。そのことは、私の場合、特に母親の反応から感じ取りました。ヒットラーの狂乱とかその類いの事柄に関するニュースを聴いているときの母親はものすごく不安そうでした。そういったことは、小さい子供は敏感に感じ取るものです。

――あなたは、ファシストやその他の国々に圧殺されたスペインの市民蜂起に関する論説を子供の頃に書いていますよね？

チョムスキー　スペイン市民戦争に関する論説を一九三九年に書きました。スペインで当時何が起こっていたのか、ある程度知っていたからです。

——その頃からアナキズムに関する文献を読み始めたのでしょうか。

チョムスキー ええ、半分は好奇心からですが。フィラデルフィアはニューヨークから一時間半ほどですが、一二歳になるころには、両親は私がひとりで電車に乗るのを許してくれていたので、電車に乗って週末にはニューヨークに行って、伯父と伯母の所に泊まってニューヨークの……ニューヨーク・シティーを詳しく知っていますか？

——ええ、少しは。主な場所だけですが。

チョムスキー ユニオン・スクエアは知っていますか。

——はい、知っています。

チョムスキー 四番街があるんですが、ユニオン・スクエアは——今はすっかり再開発されてしまっていますが——当時は労働運動の拠点だったのです。たくさんの運動関係の事務所がありました。アナキストの事務所もそこにありました。そして四番街に沿って、本屋、古本屋があって、その多くが移民によって経営されていました。本屋の経営をしている人たちはヨーロッパから逃げてきた人たちで、多くはスペインからの移民でした。私は本屋をうろついたり、本屋の店主たちと話をしたり、パンフレットを読んだり、アナキストの事務所に行ったり、そういうことをしていました。

——当時、多くの人びとはマルクス主義に惹きつけられていたと思います。ひどい現状に対して合理的な選択肢を示す思想として、マルクス主義は当時、一種流行りの思想だったのではないですか。にもかかわらず、あなたはアナキズムのほうに心を惹かれた。マルクス主義のどういう側面が嫌いだったのでしょうか。マルクス主義にコミットしようとは一度も思わなかったのですよね？

チョムスキー　まず第一に言っておかなくてはいけないことは、当時流行だったのはマルクスではなくて、ボルシェヴィズムだったということです。マルクス主義そのものはほとんど知られていませんでした。よく知られていたのは、ボルシェヴィキ革命(ロシア革命)です。ボルシェヴィキ革命は極めて権威主義的であり、反・社会主義的であると私は常に思っていました。ですから、徐々にその類いのものからは離れてアナキズムの文献に向かったのです。左派マルクス主義の人びとも同じような立場でしたが、彼らは周辺に追いやられていました。一三歳か一四歳になる頃には、私はボルシェヴィキ革命から出てくるものはどんなものでも否定的に考えるようになっていました。後になってもっと色々学んでみると、ボルシェヴィズムはマルクス自身の考えに対しても批判的だったことがわかりました。例えば——これはあまり知られていないことですが——彼の生涯の最後の方になって、マルクスはロシア農民社会について非常に興味を持つようになりました。ナロードニキが農民社会のデータをたくさん集めていて、マルクスはそれを研究したのです。その結果、マルクスは、ロシアにおける農民社会が革命を起こす潜在力を持っていたこと、共同主義的な文化を育んでいたこと、等々を結論として述べました。そしてそれを書き物にしたのですが、ボルシェヴィキが握りつぶしたのです。

社会主義的知識人の主流は都市型インテリでした。そして彼らは農民のことを完全に馬鹿にしていました。ですから、何か重要なことが農民文化からもたらされ得るなどという考え方は、こういった都市型インテリにはあり得ない考えだったのです。そんな考えは、とにかく破壊しておかなければならない。ご存じのように、当時、ロシアは近代化されなければならなかった。したがって、工業労働者階級こそが革命の前衛でなければならないと考えられたのです。マルクスの後期における研究は、こうして文字通り無視されたというわけです。現在では、マルクスの研究は人びとの目にとまり、学問的研究がなされるようになってきています(Shanin 1983, Kingston-Mann 1983 等の文献を参照)。

――ということは、あなたはマルクスの思想を拒否したというよりも、レーニン主義やトロツキズムに代表される思想が特に嫌いだったということですね?

チョムスキー　そういうことです。なぜ嫌いになったのか、厳密な理由はわかりませんでしたが、あなた方が言ったように、こういうことは周りの事柄から無意識に身につけた自分の視点というか、そういうものだと思います。

――アナキズムの文献では、どういったものを一番集中的に読んだのですか。

チョムスキー　古典ですよ。ピョートル・クロポトキン、ミハイル・バクーニン、それからたくさんの小冊子類も読みました。ルドルフ・ロッカーには特に惹きつけられました。

――それから、反ボルシェヴィキの左派マルクス主義の人たちも……

チョムスキー　ええ、アントン・パネコウク、カール・コルシュ、ローザ・ルクセンブルク等です。何人かは直接知っていました。例えば、ポール・マティックです。マティックは主導的人物のひとりでした。ちなみに、ゼリッグ・ハリスもこういった思想系列にある意味繫がっています。ハリスの視点は複雑なものでした。反ボルシェヴィキ・左派マルクス主義ではありましたが、同時にシオニストでもありました。おかしな混淆でした。

――その組み合わせは、当時でさえ奇妙だったのですか？

チョムスキー　まあ、当時は、現在考えるほどにはおかしくはなかったんですね。なぜなら、結局のところ、反国家主義の思想ということですから。社会主義的パレスチナにおけるアラブとユダヤ労働階級同士の協働に対する一種のコミットメントが当時は存在していたのです。こういうと実に変な感じに今日では聞こえますが、一九三〇年代から一九四〇年代の文化環境にあっては変でも何でもなかったのです。こういった考えは、当時の時代的潮流となっていた考えでしたし、人びとに真剣に取り上げられていました。実際、一九四七年一一月に国連総会でパレスチナ分割が決議された日のことをよく憶えています。たまたま、(ペンシルベニア大学)言語学科の事務室に入って行ったのですが、そこはまるでお通夜の席のようでした。ついにユダヤ国家が出来ることになって、私たちが傾倒していたシオニズムの原理は終わりを告げる、というわけです。

——それでは最後の質問です。何度もこの質問を受けていることと思いますが、あえてお訊きします。あなたの言語学研究と政治社会思想はどのように関係しているのでしょうか。もちろん、演繹的関係がないのは明白です。なぜなら、一つは科学であり、もう一つはおそらく違うわけですから。

チョムスキー　そう願いましょう(笑)。

——でも、両者とも、ある一点で、いわば収斂していますよね。

チョムスキー　共通の点はあります。この点に関しては、折に触れて書いてきています。歴史を遡って考えてみると、この点がより明確に理解できると思います。啓蒙の時代に遡ってみましょう。デカルト的伝統から出てきて啓蒙主義に流れ込んできた考えというのは、バクーニンがかつて「自由への本能」と呼んだものだとわかります。人間の本質には、人間を動物世界から明確に区別する根源的な何かがある。その何かは、創造的で、自由で、自立性を示す何かであり、言語の創造的使用において明確に現れます。言語の創造的使用がその何かの中核的部分を成しているのです。これと同様の考えがフンボルト等の人びとを、個人の創造的能力が十全に展開することを妨げるような制度的構造は不合理であり、それはちょうど言論を制限するのと同じように不合理である、という主張に導いたのです。こういう考えから、古典的リベラリズムの伝統が出てきました。古典的リベラリズムは、資本主義がそれと矛盾してしまうために、資本主義によって葬り去られてしまいました。しかしそれは、アナキズムの伝統の中に受け継がれてきたのです。

ですから、私の考えでは——これは私が最初に言ったわけではありませんが——現代の左派アナキズムというのは、古典的リベラリズムの真の継承者なのです。そしてそれは、何らかの形の根源的自由性というものが、人間が内在的に持つ特性として存在し、人間を動物世界と明確に区別している、とする共通の考えから生まれ出てきたものです。デカルトの場合は、この区別が「心・体」(mind-body)の区別として措定されてしまったわけですが、この区別にも何らかの真理が含まれていると私は思います。どのようにそれを定式化するかはまた別の問題です。

――そしてあなたの科学的研究もそういった考えを支持するわけですね。

チョムスキー　まあ、そうですが、言語使用の創造的側面そのものには手をつけられないということは忘れないようにしないといけません。言語の使用を可能にするメカニズムについては研究することが出来ます。しかしその先になると、これは完全な「謎」(mystery)です。私の推測としては、この謎は人間の理解を超えたところにある謎です。

――しかし、我々人間がそのような行為を可能にするための生物学的メカニズムを持っているという事実は……

チョムスキー　ええ、我々がそういうメカニズムを持っているということは事実です。究極的には、この問題は意志と選択の自由の問題に繋がっていくのだと思います。ところで、科学や哲学の分野では、意志や選択の自由の存在を否定することが一種の流行になっています。でも、そういうものを否定している人たちも、実は自分が言っていることを全然信じていないのですよ。このことはすぐにわかります。もし選択の自由が存在しないのならば、なぜそれを証明しようとして論文なんか書くのでしょうか。もしあなたがサーモスタット(温度の自動調節装置)で、あなたの読者もサーモスタットだったとしたら、あなた方の間の相互関係など無意味なことです。ですから、選択の自由を否定する人たちも含めて、選択の自由が存在しないなどということは誰も信じていないのですよ。

　私はこういう問題は結局、人間が持つ認知的限界の問題に落ち着くと思います。我々人間は、決定性を持つ問題やランダム性を持つ問題は扱うことが出来ます。実際、一七世紀の科学者たちはこれら両方の問題を理解していました。でも、選択の自由の問題は決定性もランダム性も示しません。ですから、我々はそれを取り扱うことが出来ないのです。

――ということは、選択の自由が関わるときは、科学では取り扱えないということですか。

チョムスキー　人間による科学では扱えないということです。他の生物が作り出す科学なら可能かもしれません。

――もちろん、我々人間にとっての科学という意味です。

チョムスキー　我々にとっては、不可能です。我々人間も有機体の一つです。当然、我々は有機体として自分たち自身の限界を抱えているわけです。このことを示す古典的な例がありますが、この例はどうもあまり充分には理解されていないように思われます。それはニュートン物理学です。ニュートン物理学は物体の概念──物質的対象の概念──を破壊しました。ですから、機械も存在しないことになりますが、これはニュートン自身が実に不合理な結論だと思っていたのです。彼は「誰もこんなことは信じるはずがない」と言いました。でもそれは真実だということがわかりました。そして後になって、この考えが科学の中に浸透していったのですが、そのとき、この考えを受け容れるということは、初期の科学革命においては完全な神秘主義とされていたものを受け容れることになるのだということがきちんと認識されなかったのです。私は、ニュートン物理学が導入したことは人間の思考の限界を示しているのだと思います。対象が接触することなしに相互作用するということは、我々人間には理解不可能なのです。我々はそのことを受け容れます。なぜなら、世界がそうやって動いているということは了解されるからです。しかし、その概念を本当に心から理解することは出来ないのです。

ガリレオやライプニッツなどの初期の偉大な科学者たちにこの考えを話したら、彼らは全く意味不明の考えだと言うでしょう。もし腕の良い職人が作る機械によって何かを再現することが出来ないとしたら、それは説明が存在しないということと同じなのです。

ニュートンに到るまで、それが説明という概念の規準だったのです。そして、そういう説明概念が破棄された。そのことは、我々が持つ認知能力の限界を示しているのだと思います。そして、選択の自由もおそらく同じ問題を提起しているのだと思います。ちなみに、この問題は、例えばロックやヒュームなどの、ニュートンと同時代の偉大な思想家たちには充分認識されていました。

――でもそうなると、いわゆる「社会科学」の位置づけはどうなるのでしょう？　社会科学では、選択の自由を含む人間行動が科学的に研究されていることになっていますが。社会科学というのは、偽の科学ということですか。

チョムスキー　言語学にだって同じことが言えます。フンボルトの有名な言葉である「有限の手段の無限の使用」を取り上げてみましょう。有限の手段については色々と議論できますが、無限の使用については何も言えないのですよ。これについては、どうやったら意味がある形で問題を定式化できるかさえわからないのです。そして、この問題に対しては誤った答えさえ私たちは持っていません。おそらく――もちろん確実にそうだとは誰にも言えませんが――この問題は人間の認知的到達範囲を超えたところにあるのだと思います。

――しかし言語学の場合、科学的に研究できる「有限の手段」がありますよね。

チョムスキー　ええ、「有限の手段」は研究できます。

――しかし社会科学の場合、一体何が残るのでしょうか。つまり、私たちの認知的・科学的到達範囲を超える問題を取り除いた場合、言語学の場合は「有限の手段」が残る。社会科学の場合、科学的探究の対象として何が残るのでしょうか。

チョムスキー　大して残りません。だから社会科学は大体において記述的なのです。もちろん、面白い記述はたくさんあります。でも、説明という観点からするとほとんど何もないのです。これは社会科学に対する批判ではありません。全く違いますよ。この分野においても、極めて大きな価値をそれ自身で持つ研究は存在しますし、もちろん、人間の諸事に対して非常に深い意義を持つ研究もあります。でも、深い説明を得ることは本当に難しいのです。

　このことをもう少し一般的な形で考えてみましょう。物理学は大いなる説明の深さを達成しましたが、これは部分的には、物理学がその考察の対象となる世界を高度に洗練された実験によって作り出すことが出来たという事実の結果なのです。そして、対象となるシステムが複雑すぎる場合は、物理学者はそれを化学者の仕事として化学者に委ねてしまうのです。もし、何らかの分子や他の構造が化学者にとっても複雑すぎたら、化学者は今度はそれを生物学者の仕事だとしてしまいます。それで、何かが生物学者にとってさえ複雑すぎるようならば、それは社会科学者に手渡されるのです。そして最後に、決定的に重要な問題については、社会科学者はそれを文学者や他の芸術家に委ねるというわけです。こう言ったからといって、これは批判ではありません。研究対象の複雑性が増すと共に直接的実験によって人工的世界を作り出すことが難しくなり、それに伴って説明の深さが減じていく――一方で、人間の諸事に対する重要性は増していく――ということを指摘したいのです。

例えば、言語の使用の問題を考えてみましょう。形式語用論の領域では、本当に素晴らしい――しかもかなりの程度深い説明力を持ち、驚くべき結論も伴った――研究成果があがっています。例えば、ジェナロ・キエルキアの仕事などがそうです。でもそういう研究でも、あなた方と私が一緒に居るときどういうふうに私たちが会話をするかとか、そういう通常の言語の使用の考察までは、その研究領域は及ばない(また及んでいるふりもしていない)のです。それよりも、キェルキアの研究は否定極性の原理――everやanyなどの語の使用法――にまつわる込み入った不思議な問題を研究することを通して、語用論的原理が他の構造的特性と相互作用を起こすことによって、どのようにして非常に入り組んだ解釈をしばしば生じさせるのかを論じているのです。

同様の事情は他の研究領域でも観察されます。全ての社会科学の中で最も高い精密さに達した分野は経済学です。そして、経済学は間違いなく高い価値を持つ研究分野です。しかしながら、専門的経済学者の中で、膨大な住宅バブルの発生を認識することが出来た人がいかに少数だったかを見ると、これは実に印象的なことです。このバブルは最終的には弾け、世界大恐慌以来最悪の経済危機に繋がっていったのです。ちなみに、このバブルは、(充分に制限された条件下ではある程度の説明力を持ち得る)効率的市場仮説や合理的期待形成仮説とかの、多くの非常に権威ある経済学者が現代経済学の基本的発見と見なしていた——そしておそらく、未だにそう見なしているであろう——成果の根幹を揺るがすことにもなったのです。

同様に、社会学や政治学の領域にも、私たちが多くを学ぶことが出来る——少なくとも、私は個人的に多くを学んでいる——研究があります。こういった分野の研究を、それが深い説明力に達していないという理由で責めることは出来ません。これらの領域では、物理学などのハードサイエンスが持っている贅沢は与えられていないのですから。

——わかりました。今日はどうもありがとうございました。

ノーム・チョムスキーの思想について

福井直樹
辻子美保子

1　はじめに

ノーム・チョムスキーの思想の日本における受容の歴史には、いささか特異な点が見受けられる。チョムスキーの言語学説は、(当時の、国および言語の壁をまたいでの情報伝達速度を考えると)極めて早く日本に輸入・紹介され、少なくとも記述の道具としての変換生成文法は多くの支持者を得たのに対し、チョムスキーの政治社会思想の方は——断片的な紹介は一九六〇年代からあったものの——ほとんど注目されることもなく、政治活動家としてのチョムスキーは、二〇〇一年のアメリカにおける同時多発テロ以降のアメリカ国内の戦時下翼賛体制のごとき雰囲気へのごく少数の勇気ある抵抗者として初めて日本の言論界にも認知されたかのようである。

よく知られているように、チョムスキーがその革命的文法理論を最初に集大成したのは、数百ページに及ぶ大部で高度に技術的な著作『言語理論の論理構造』(一九五五年)であるが、彼の理論が広く世の中に知られるようになったのは、『言語理論の論理構造』の要旨を組み込んだ小冊子『統辞構造論』(一九五七年)が出版されてからであろう。生成文法と呼ばれるこの理論は、日本にもまもなく紹介される。黒田成幸の『言語の記述』(研究社、一九六〇年)は、東京大学に提出した卒業論文の改訂版であり、実際の主な執筆時期は一九五八年であるにもかかわらず、既に『統辞構造論』の強い影響が見られる。藤村靖による『統辞構造論』の書評が日本言語学会の機関誌である『言語研究』に掲載されたのは一九六三年であるし、同年には勇康雄による『統辞構造論』の最初の邦訳(『文法の構造』研究社)も出版されている。爾来、チョムスキーの言語学関係の著作の多くは日本語に翻訳されているし、生成文法に関する解説的論説も莫大な数が出版されている。残念ながら、数多くの誤解および曲解がそれらの論説に含まれていることも事実であるが、チョムスキーの言語学説が非常に強い影響を分野に与え、不可逆的な変化を言語研究に及ぼしたことは疑い得ないと思う。

対してチョムスキーの政治社会思想のほうはどうかというと、こちらは、先に述べたように、二一世紀になるまでほとんど注目されることはなかったように思われる。チョムスキーが政治社会評論を出版し始めたのは、おそらく一九六五〜六六年頃であると思うが、いくつかの論説を集めたものを書物として出版したのが、一九六九年の *Ameri-*

can Power and the New Mandarins である。この著作は、一九七〇年には既に日本語に翻訳されているが(木村雅次・水落一朗・吉田武士訳『アメリカン・パワーと新官僚』太陽社、一九七〇年)、反響はほとんどなかったように思う。これ以降もチョムスキーは何十冊という政治社会関係の書物を出版しているが、二〇〇一年以前にはそれらの著作の翻訳も、またチョムスキー思想を論じた論説文も(少数の例外を除いて)ほとんど存在しなかった。単発的に訳書や論説文が出版されても、人びとの興味をほとんど引かなかったというのが実情だと思う。

なぜこういった状況が生まれたのか。決定的な解答はもちろんないが、理由はいくつか考えることが出来る。まず、ある科学者の科学的主張とその人が持つ政治社会思想は分けて考えるべきであるとする原則論がある。これは決して間違った主張ではないし、特定の人間観を提出するようには見えない代数幾何学であるとか素粒子論等の分野の場合は、むしろ当たり前の考え方だろう。ただし、その科学の対象が人間にあり、科学的主張がある種の人間観を提出する場合、科学者の科学的主張とその人の政治社会思想を分けて考えることが実際に可能かどうかは、微妙な問題である。

さらに、チョムスキーの政治社会的論説が対象とする諸問題が非常に多岐に亘っており、日本の読者には語られている内容が今ひとつぴんとこないということもあるだろう。日米安保の問題や日本近隣の東アジアの問題ならばともかく、アメリカの国内問題の詳細、東ティモール、中東和平、ラテンアメリカ、ヨーロッパ諸国、等々の政治社会問題を詳細に論じられても、(言語の壁もあり)背景になる知識を有している日本の読者は数少ないかもしれない。

チョムスキーがかなり明確な反ボルシェヴィズムの立場を取っていることもマルクス主義およびマルクス・レーニン主義の影響が強かった日本の左派知識人を彼の政治社会思想から遠ざけた理由のひとつとして挙げられるかもしれない。これはちょうど、バートランド・ラッセルが政治思想家としては日本で今ひとつ人気がないのと同様の事情であると言える。ちなみに、本書所収の「対話」でも少し述べられているように、チョムスキーはマルクスの思想そのものを全否定しているわけではない。マルクスに関しては、学問的にもまたその政治的行動においてもいくつかの間違いは犯したものの、同時に優れた仕事も行なった重要な思想家という評価をしている。ただ、「マルクス主義」の教祖として彼を祭り上げることには、(これは別にマルクスに限ったことではないが)個人崇拝を導く傾向として反対する。

最後に、チョムスキーの言語理論を盛んに論じる日本の研究者が彼の政治思想に関しては一切興味を示さない大きな理由は、日本の社会が政治について語ることを決して奨励していないことに求められるのではないだろうか。欧米に行くと、大学院生の集まりであろうが、大学教員のパーティーであろうが、明確に自分の立場を打ち出して国内および国際政治について口角泡を飛ばして議論する場面にしばしば出くわすが、こういった光景は日本の大学ではまず見られない。意見の相違を明確にして議論をするのは、日本では奨励される行為ではないし、まして や立場が非妥協的に異なる可能性がある政治の話題は非常に危険なのである。チョムスキーのように、極めて明確に反権力的な立場を取る学者の場合、その政治思想には触れないでおくのが、日本の社会では安全な、大人の態度であるという判断が多くの言語学者の頭に浮かんだとしても不思議ではないだろう。

日本において、チョムスキーの科学者としての主張と彼の政治社会思想がほぼ完全に切り離されて、相互に全く関係がないかのように一方は(ある意味)熱狂的に受理され、もう一方は無視されてきたといってもいいような状況だったのは、おそらく、いま述べたような諸要因が複合的に作用して生じたこととして説明できるのだろう。ただ、それにしても、「言語と心の研究と政治社会思想を同じ場所で論じる機会が日本でだけは一切与えられない。世界中が大変なことになっているときでも、日本の人びとは言語学の話だけを聴きたがる」(例えば、『ジャパン・タイムズ』(二〇一四年二月二二日)のインタビューなどを参照)と本人が長い年月に亘って不思議がっているような状況を説明するのには、これらだけでは充分でないような気がする。

この問題には、本稿の最後でまた少し触れることにするが、まずは簡単にチョムスキーの略歴を見てみよう。

2 略　歴

チョムスキーは一九二八年一二月七日にアメリカのペンシルベニア州フィラデルフィアに生まれた。幼少時より政治や社会的問題に対する関心は深く、最初に書いた政治的論説は一〇歳のときに執筆したスペイン市民戦争に関するものであるという。生来の「自由を求める気質」が、世界大恐慌後の混沌とした世相のもと、一種の爛熟期を迎えていた当時のニューヨーク周辺の急進的ユダヤ人コミュニティの中で育つことによって、チョムスキーの内で花開き、その後の体系的思考を経て政治的信念へと昇華していったのであろう。一方で、ペンシルベニア大学で言語学を学び、同時に哲学、数学、物理学等を修めるにいたって、科学者としての基盤も徐々に整っていくことになる。この間、イスラエルの反国家主義的キブツに移住して理想の社会の建設を目指すという夢を抱いた時期もあったが(その帰結として、大学は中途退学するつもりだった)、ゼリッグ・ハリスという、科学者としても政治活動家としても尊敬できる指導教員と出会うことによって、かろうじて大学に留まる決意をする。

一九五一年に「現代ヘブライ語の形態音素論」を修士論文として執筆し(原型は、一九四九年に提出した同名の学部卒業論文にある)、様々な形を取る言語形式に対して共通の抽象的基底形式を設定し、そこから規則の適用によって表層形式を導くというアイデアを発展させ、いわゆる生成音韻論の基本的立場を固める。この研究では、その後の生成文法における重要概念の一つである「単純性」に関する詳細にして具体的な考察が既になされている。その後、哲学者ネルソン・グッドマンの推挙によってハーバード大学のジュニアフェローに選出されたチョムスキーは、その任期が終わる一九五五年に書かれた大著『言語理論の論理構造』によって変換生成文法の大枠を示す。チョムスキーの学問的貢献は、その後一〇年ほどの間に生じた、「認知革命」と呼ばれる巨大な知的胎動において中心的役割を演じることにより不動のものとなる。それは、人間の心・脳の中にシステムとして実在する「言語機能」(人間言語を獲得する能力)に関する真に科学的な理論の構築を言語学の目標に据えることによって、この分野を広く認知諸科学の中に——ひいては人間生物学の中に——位置づける画期的なものであった。

その後、生成文法理論は、個別文法に関する精緻な理論をつくり上げようとした第一期から、人間の言語機能に関する一般理論である普遍文法の構築を目指す第二期を経て、言語機能が「なぜ」そのような特性を有するのかを問おうとする第三期ともいえる段階に到っているが、これらの発展段階の全てにおいて数十年に亘って指導的役割を果たし続けるという、科学者としては他の分野においても類を見ない離れ業をチョムスキーは演じてきている。

社会運動の面では、官憲による逮捕を何度も経験するほどにベトナム反戦運動に深く関与して以来、世相がどのように移りゆこうともまったく軸足をぶらすことなく、一貫して人間の自由の擁護を掲げ、あらゆる権威主義に反対し、全ての権力からの人間の解放を目指して闘いを続けている。ラディカルな権力批判者としての立場は、アメリカが、そして世界が泡だっていた一九六〇年代から二一世紀もその最初の二十年以上が経過した現在まで全く変わることがない。

3　学問と思想

理性の人チョムスキー

チョムスキーの知的活動をその根元の部分で支える原動力は何かというと、それは人間が持つ「理性」(reason)への揺るぎない信頼だろう。あらゆるドグマ、思い込み、偏見を排し、理性的に考え詰めること——「デカルト的懐疑」(Cartesian doubt)とでも呼ぶべきこの態度は、チョムスキーが学問的議論を行なう時でも、政治社会上の諸問題を論じる時でも常に一貫している。

そして彼は自らの理性の導くところに、これまた徹底的に誠実であろうとする。そこには、個人的利害であるとか相手との力関係とかの要素が、ほとんど入る余地がないかのようである。人間として尊敬し続け、また個人的にも非常に世話になった、ペンシルベニア大学時代の指導教員であるゼリッグ・ハリスの言語学説が基づく科学観(構造主義言語学の科学観)をほぼ全否定する形で自らの生成文法理論を提出したのもその表われであるし、何年かに亘る苦節の時を経てようやく得た、安定した職と恵まれた研究環境、そして芽をふき始めていた新しい研究テーマなどを全て危険にさらしてベトナム反戦運動に身を投じたのも、理性の命じることにあくまでも忠実であろうとするチョムスキーの生き方をよく表わしている。

ちなみに、後者の反戦運動の場合には、逮捕、長期拘留の危険性があることから、勤務していたマサチューセッツ工科大学(MIT)から解雇されることを覚悟し、妻であるキャロル・チョムスキーと共にそのための準備もしていたようである。実際に何度かの逮捕を経験することになるが、MITからの処分などは一切なかった。ベトナム戦争が終結してからの一九八〇年代にも、レーガン政権のニカラグア政策に反対する運動において、MIT言語学科の(チョムスキーを含む)何人かの教員と大学院生が逮捕されたことがあるが、このときも関係者への処分などは一切なかった。9・11以降の彼の言論に対して猛烈なチョムスキー批判がMITに寄せられたときも、大学当局は毅然としてチョムスキーの言論活動を擁護した。何かと評判の悪いMITではあるが、思想の自由、言論の自由を守る態度は堅固である。こういうとき、日本の大学ならばどういう反応をするだろうかと考えると、何とも暗い気持ちになるのを抑えることが出来ない。

よく指摘される、論争におけるチョムスキーの「戦闘性」も、理性に忠実であろうとする彼の生き方が大きな原因になっているように思える。チョムスキーは誰と話す時でもほとんど態度を変えない。常に相手の言うことを正面からとらえ、それに対して自らの思うところを非常に率直に述べる。この態度は、相手が学生であろうが他大学の教授であろうが、政府高官であろうが、また旧知の友人・同僚であろうが、初対面の人間であろうが、ほとんど変わることがない。相手の述べることの内容にのみ反応していて、相手との「人間関係」などはあまり眼中にないかのようである。あえて一切の婉曲表現を用いない(また空疎なレトリックを用いない)その率直さが、しばしば相手の顔色をなからしめる事態を生むのだろう。

あらゆることに応用が利く抜群の知的能力に加えて、口頭での、あるいは書き物においての言語運用能力にも非常に恵まれているので、知的活動においてはもはや怖いものなしのような状態になる。実際、チョムスキーは学問・科学の本質、芸術、政治・社会状況などの広範な事柄について発言を行なっているが、やはりその知的関心の中心を成しているものは言語学と人間解放運動であろう。以下二つの節では、これらの領域におけるチョムスキーの活動をごく簡単に述べてみたい。

人間性の根源としての言語——科学者としてのチョムスキー

チョムスキーの言語学者としての最大の貢献は、長い間その存在が疑われもしなかった(にもかかわらず、整合性がある概念かどうかさえも実際には明確でない)「客体としての言語」から、人間が言語を獲得し話せるようになる能力へと言語学の研究対象を大転換し、そのことによって言語の研究を人間の「心・脳」の研究の中核に位置づけたことにある。

二〇世紀における科学の三大発見として、しばしば(量子力学に代表される)「原子」と(DNAの二重螺旋構造の発見を端緒とする)「遺伝子」と並んで「心・脳」が挙げられるが、人間の心・脳の科学としての「認知科学」誕生に際してチョムスキーが行なった貢献は決定的であり、このことは、彼がほぼ独力で創始し、数多くの言語学者がその発展に貢献してきている生成文法理論のその後数十年に亘る技術的な展開をどう評価しようとも否定することは出来ないであろう。

他の全ての事に対するのと同様、言語学的研究に取り組むときのチョムスキーは徹底的に理性的である。彼が学生であった当時支配的だった行動主義心理学に基づく構造主義言語学の根本的問題点をいち早く見抜き、それに代わる真の科学理論として生成文法理論を提唱し、それを圧倒的な理性の力と情熱をもって推し進めたのである。学問上の結果が出てしまっている現在ではあまりぴんとこないが、生成文法理論が初めて提唱された一九五〇年代中頃からほぼ市民権を得た一九六〇年代中頃までの一〇年間には、構造主義を奉じる「守旧派」とチョムスキーを中心とする生成文法家の間で、しばしば感情的とも言える激烈な戦いが繰り広げられた。この間、チョムスキー自身は批判の矛先を構造主義言語学がその拠り所とする行動主義心理学(さらにはそれを背後で支えている経験主義哲学)そのものにも向け、行動主義心理学の雄スキナーや分析哲学において巨大な影響力を持つ哲学者クワインなどに対して戦いを挑むことになる。

ある程度実質的内容が存在している学問分野における異なったアプローチ間の論争は、結局のところ、その研究成果の生産性で勝敗が決することが多い。この場合も、次々と興味深い研究を生み出し、さらに認知心理学等と合流して新たな地平を言語研究に関して拓いていく生成文法に対して、瑣末な現象についての皮相な分析しか提出できず閉塞状況に陥った構造主義言語学(および行動主義心理学)は、言語を典型とする人間の認知機能研究のための枠組みとしては全く不適切であることを露呈し、学問的敗北を余儀なくされていった。

そして、もし生成文法が主張するように、言語学の対象が、人間がその心・脳の内部に持つ言語を獲得し話せるようになる能力(言語機能)であるとすれば、そのような能力は脳において(どの程度の局在性を示すかは別として)何らかの形で実在するはずである。

言語学とは、その実在する言語機能が示す特性、その構造と機能に関する学問分野であることになる。つまり、生成文法の基本的想定を認めれば、言語学とは、アメリカ構造主義言語学が想定していたような、データの分析方法をひたすら洗練させる「分析手続」の学問ではなく、人間の外に措定される社会的規約などの研究でもなく、ヒトという生物種がその形質として持つ生物学的特性に関する研究であることになる。チョムスキーが、言語学とは人間生物学の一部であると主張するのは、まさにこういう意味合いにおいてである。進化の過程で、何らかの原因によってヒトという種の脳内に「人間言語を話す能力」が生じ、それが人間独特の思考の基礎になった。さらに、脳内の言語能力が他の認知機構や感覚運動システムを通して人間の外に外在化されたものが、我々が目にする「言語行動」である。

こう考えると、言語本体は脳内に深く埋め込まれており、人間の思考、理性、自然数の概念、等々と根元のところで結びついている一方で、言語の主な機能としてしばしば言及されるコミュニケーション(社会的相互作用)などは、言語が外在化された結果の(言語そのものにとっては)副次的現象であることになる。言語の本質とコミュニケーションを結びつける発想は、つまるところ目に見える現象に引っ張られた錯覚に過ぎないと言ってもよい。これは大方の言語観からすると実に意外な構図であるが、チョムスキーが自分の仮説を支持するために用意した周到な経験的議論は極めて説得力に富み、下位仮説の妥当性は別として、少なくとも言語研究を認知研究の一部として位置づける基本的な発想に関しては、もはや公の反論は聞かれなくなっていると言ってもよいと思う。

言語機能が人間に「思考の言語」を与え、また、深いところで自然数の概念や理性、論理などとも係わっているとすると、こういった構図は、西洋の思想史において何度も出現しては経験的根拠を欠く思弁的推論として言語学者に拒否されてきた考えを、経験科学としての言語学の成果を踏まえた上で、ある意味復活させたと言えなくもないだろう。そして、チョムスキーが生成文法によって執拗に追い求めているものは、いわば「理性(科学)によって理性(言語機能)を理解しようとする」自己理解の行為であると、比喩的に言えるのかもしれない。

理性と自由——チョムスキーと人間解放の闘い

チョムスキーの政治社会関係の著作(および講演、インタビュー等)は莫大な数にのぼり、量的には彼の科学関係の著作に匹敵するだろう。政治社会問題を論じる時にもチョムスキーは徹底して理性的であるが、この方面の彼の著作を読む時、特徴的なアイロニーに満ちた文体を通して感じられるのは、そのあくまで理性的な論述の背後にある、人間の自由を封じ人間性を圧殺するものへ向ける、抑制されてはいるが激しい怒りであり、そのようなものから人間を解放するための闘いにチョムスキーを駆り立てる熱い情熱である。

チョムスキーというと「理性のかたまり」のようなイメージがあり、本稿でも人間の理性に対するチョムスキーのコミットメントを強調しているが、これは――当たり前のことではあるが――決してチョムスキーが常に冷厳な人間であることを意味しない。永年に亘ってラオスに居住して平和活動を続けていたフレッド・ブランフマンが一九七〇年にラオスを訪問したチョムスキーと過ごした一週間の経験を書いているが(Fred Branfman, "When Chomsky wept," Salon.com, Monday, June 18, 2012、長谷川宏による邦訳が「チョムスキーが泣いたとき」として『国際コミュニケーション研究』専修大学国際コミュニケーション学部、第1号、120頁〜127頁、二〇二一年に掲載されている)、その中で、アメリカの空爆によって難民となったラオスの人びとにインタビューしたときのチョムスキーの様子がヴィヴィッドに描かれている。

ブランフマンがそれ以前に同様の計らいをしたアメリカの『ニューヨーク・タイムズ』等の新聞記者たちが常に眼前のラオスの人びとと心理的距離を置いて接し、あくまで取材の対象として彼らと会話を交わしたのに対し、難民の悲惨な話を聞いていたチョムスキーはインタビューの途中で突然泣き崩れ、滂沱の涙を流し続けたという。それまで数日間行動を共にする間にチョムスキーが持つすさまじい知的能力を見せつけられ、そのことによって、理性のかたまりのような知識人として彼を認識していたブランフマンは、この場面を想い出すたびに、チョムスキーがその胸の内に持つ熱き魂に触れた感動が蘇ると述べている。自由を奪われた人たち、とりわけ、圧倒的な力の前に圧殺されていく弱者に対する熱い想いがなければ、負担のみが自らに重くのしかかる政治運動にコミットできるはずはないのだが、チョムスキーの場合、知的存在としての印象が強すぎて、どうしてもどこか冷たい人間のような印象が生じてしまうのだろう。

政治社会問題を論じる時のチョムスキーは徹頭徹尾「実証的」である。あらゆるドグマを排する彼は、空疎なイデオロギー的言辞は一切弄さないし、擬似科学的粉飾をほどこして自説をもっともらしく見せることも全く行なわない。真の科学的研究においてはある程度の技術的概念や道具立てが必要になるが、政治社会問題を考える上では基本的な理性の力のみが必要なのであって、難解な概念や擬似科学的道具立ては不必要であるにとどまらず、権威づけの機能を持つゆえにしばしば有害でさえある、というのがチョムスキーの基本的態度である。したがって彼は大きな「理論」を語ったりはせず、ひたすら広範で緻密な調査に基づいて得られた莫大な量の「事実」を呈示することによって、それらの事実からどのようなパターンが浮かび上がり、社会、経済、政治、歴史等、我々が生きているこの世の中に関して何を学ぶべきなのかをあくまで事実そのものに語らせようとする。

緻密で徹底的な事実考証——これはしばしば意図的に隠されていた事実の発見も含む

――に基づいたチョムスキーの議論が持つ説得力は圧倒的であり、一度事実関係に基づいた議論の土俵に上がってしまえば、どんなに彼の導いてきた結論が気に入らなくても、それに反論するのは容易なことではない。この点からいえば、アメリカ(およびフランス等いくつかの国々)において、チョムスキーの政治社会的発言を好まなかった人々がとった方策は、極めて効果的であった。新聞、テレビを中心にした主流マスメディア、および大手出版社からチョムスキーを締め出したのである。少なくとも一九七〇年代半ば以降、チョムスキーが書いた政治社会関係の著作は大手出版社からはほとんど出版されていないし、新聞、テレビ等へのチョムスキーの登場も非常に限られている。ほとんど全てが独立系の弱小出版社から出版されているのである。『ニューヨーク・タイムズ』、『ボストン・グローブ』、『ロサンジェルス・タイムズ』等にごくたまに載るチョムスキー関係の記事も全て他の人が(しばしばある種の偏見あるいは意図をもって)チョムスキーを論じたもので、チョムスキー自身の言論活動は主流メディアにおいては、ほぼ封じられていると言ってよいだろう。反論が難しい――かつ好ましくない――論説は人の目に触れさせないようにするのが一番という、まさにチョムスキーの著作の一つの副題にある「民主社会における思想統制」の好個な例がここに見られる。

事実をもって語らせる、とは言っても、そこには自ずから世界を切り取って解釈するという「物の見方」のようなものが前提とされている。チョムスキーの場合、この、いわば公理のようなものは、人間にはバクーニンが言う「自由への本能」があり、まっとうな社会とは、個人が持つ自由への希求を最大限に保証する社会であるというものである。この想定から、人間の自由に対する制限は必ず充分な正当化を伴わなければならず、正当化がない限り、あらゆる種類の権威、権力、階層・上下関係、力による支配、その他、人間の自由を制限する全てのものに反対するという方針が導き出される。チョムスキーのように党派性を嫌い、あらゆるドグマを排する人間に政治上のレッテルを貼ることはほとんど意味がないが、彼のこのような人間観、そしてそこから派生する社会観の背後にある社会思想を(古典的リベラリズム、啓蒙主義を基礎にする)ラディカル・リベラリズムと呼ぶことは妥当であると思う。

そして、この公理をチョムスキーに信念として抱かせる学問的根拠になっているのが、彼の言語学説であるといえる。人間には他の生物にはない言語機能が生物学的に与えられており、この言語機能によって、人間は無限の言語表現を生成する能力を発揮できる。そして、生成された無限の言語表現が人間に自由な思考能力と理性の力を与え、この能力を基にして、人間は状況に適した――しかし状況によって因果的にしばられてはいない――言語行動を行なうことが出来る。つまり、言語機能によって人間はその本性として自由で創造的な力(理性の力)を与えられているのである。そうであれば、人間の本質的な特性を最大限に活かせるような形で社会も構成されているべきであり、人間の本質である自由を抑えつけるような社会体制には強く反対しなくてはならないという態度が導き出される。こうして、生成文法が提出する言語観・人間観と政治的立場としてのラディカル・リベラリズムは、チョムスキーの思想の中で、「理性」の概念を通して、いわば収斂するのだと思う。

4　おわりに

以上、言語学という学問に「革命」をまきおこした科学者としてのチョムスキーと、人間解放のために生涯をかけて闘っている活動家としてのチョムスキーとをごく簡単に見てきた。どちらの領域においても、彼の知的活動の具体的な内実に踏み込んで論じられなかったのは残念だが、総体として捉えるならば、浮かび上がってくるのは人間の本質をその理性にあると捉え、自らに与えられた理性の力を用いて徹底的に考える「理性の人」チョムスキーの姿である。

そして、彼自身と同様、チョムスキーが提出する人間観も、根本的なところにおいて「理性」に支えられている啓蒙主義的人間観である。このような彼の人間観は、「人間の聖性も獣性も引き受けて人間を捉える」文学によって精神形成を果たした人たちには、いかにも楽観的かつ一面的で「深み」がないように感じられるかもしれない。しかしこれは「無いものねだり」であり、チョムスキーの思想に妙なひねりを加えれば、その威力は半減してしまうことだろう(これはチョムスキー自身も意識していると思う)。啓蒙の時代の原点に還り自らの理性のみを信じとことん考え、「本物」と「偽物」を見分けよとチョムスキーは飽くことなく訴え続ける。その徹底性にこそ、我々はチョムスキー思想の神髄を見るべきなのであろう。

ひとこと付け加えておくと、「理性」を信じて全ての事柄にあたると言っても、チョムスキーは人間の理性を万能の能力として神格化しているわけではない。人間に生物学的に与えられた言語機能を基礎に展開している能力として理性を捉えるならば、当然、そこには人間という生物種が持つ生物としての「認知的限界」が反映しているはずである。世界には、人間の理性をもってして理解可能な事柄と、そのような理解を超えた事柄が存在していることになる。前者の事柄を「問題」と呼び、後者に属する事柄を「謎」と呼んで、一九七〇年代初頭からチョムスキーは「科学認識論」とでも名付け得る領域の探究を続けている。言語機能の本質の探究、社会的存在としての人間の本性の追究と並んで、人間理性の認知的限界の探究も、チョムスキーにとっては「我々人間はどのような生き物なのか」という根本的問いに対する重要な探究領域の一つなのである。本書収録の二つの講演、および「対話」においては、これらの問題全てが随所で論じられている。

さて、チョムスキーの言語学研究においても、また彼の政治社会的活動においても、これほど理性の役割が決定的だとすれば、「理性」概念と格闘した経験を持たない日本社会において(福井直樹「生成文法と人間言語の『多様性』」『日本エドワード・サピア協会研究年報』27、1-23頁、二〇一三年、を参照)、チョムスキーの政治社会思想が真剣な関心を持たれることもなく長い間、いわば放置されてきたことは、自然なことであると言える。むしろ、なぜ彼の言語学説が受け容れられたのかの方が不思議なのである。こうして考えてみると、実は、チョムスキーの言語学説は、思想としてではなく、一種の技術として変容を受けてから日本に輸入されたのではないかという可能性が心に浮かぶ。そう捉えれば、変換文法は盛んに論じられても、例えば「デカルト的言語学」の概念は、(少数の哲学研究者を除いて)ほとんど議論の対象にもなっていないことにも説明がつく。総じて、言語学的議論においても、チョムスキーの著作の技術的側面には多くの人びとが関心を抱くが、背後にある「言語基礎論」的な面に対する興味は、日本においてはほとんど感じられないのである。ましてや、チョムスキーの政治社会思想などは完全に関心の埒外であったとしても不思議ではない。本稿の最初で触れた、日本におけるチョムスキー思想の受容に関する特異性には、こう考えてくると極めて根本的な原因が存在している可能性があるように思えるのである。

編訳者あとがき

目が合うと、どこか照れたようなイノセントな笑顔で「やあ」と言いながら羽田空港国際便到着ロビーに出てきたノーム・チョムスキーの顔を見て、まだ何も始まっていないのになぜかホッとしてしまった。着古したセーターに粗末なジャケット。その上にはあまり暖かそうではないコート。下にはジーンズとスニーカーというでたちで出張用の――これも使い古した布製の――キャリーバッグを自分で押して出てきたこの老人が、もし言語学や認知科学等にノーベル賞があったならば、その業績を正当に評価するために少なくとも三つのノーベル賞が必要だと言われる「心の科学のガリレオ」であるとは、周りの人たちはおそらく誰ひとり思いもしなかっただろう。その後、都心のホテルに向かう車の中でチョムスキーが次から次へと途切れることなく話し続ける、共通の知人（主に言語学、心理学、哲学分野の研究者）に対する相変わらずの辛口コメントに適当に相槌を打ちながら、「この人は八〇歳代半ばになっても全然雰囲気が変わらないなあ」という感傷めいた気持ちと共に、高齢ゆえに常に懸念されていた、健康上の理由による最終段階での来日キャンセルが杞憂に終わったことに対する安堵の情が胸にゆっくりと拡がっていった。こうして怒濤の「チョムスキー・ウィーク」が始まったのである。

チョムスキーから「二〇一四年三月の第一週だったら日本に行けると思うが、どうだろうか」というメールが来たのは、二〇一三年の一二月初めだったと思う。もう三ヵ月しかない。確かにその何年か前から、彼の日本訪問の可能性に関しては話題にのぼっていたのだが、とにかくいかにも急な話なので、心の中での最初の反応は「準備の時間がなくてとても無理」というものだった。年末年始を挟んで、学年末、その後は入学試験シーズンである。日本の大学の一番忙しい時期と言ってもよい。しかし、同時に、この話にノーと言えば、チョムスキーの年齢などからして、おそらく来日はもう実現しないのではないかという懸念も当然のことながら湧いてきた。予算のことや会場の予約、等々の心配があるので、準備が可能かどうか取りあえず一週間返事を待ってほしいとチョムスキーに伝え、CREST（科学技術振興機構（JST）からの研究費）関係者や上智大学関係者に相談した。その結果、関係者全てから快い協力の申し出をいただいた。わずか数人ではあるが準備委員会を作り、その準備委員会を中心にしてチョムスキー招聘に向けての準備を進めることになった。チョムスキーに承諾の意を伝え、本格的に準備作業が始まった。

その後の二ヵ月半ほどの期間は、毎日のように作業が入り、あっという間に過ぎ去った。もとより、大きなイベントの開催などには全く不慣れな人間で構成されている準備委員会であるから、初めて経験することばかりで、うまくいかないことの連続だった。あまりに色々なことがあったので、委細は全て省略するが、CREST関係者以外に、このイベントの主催者になっていただいた上智大学、上智大学国際言語情報研究所、上智大学大学院言語学専攻、そして共催者として様々な協力を惜しまなかった岩波書店に心から感謝したい。また、主催あるいは共催ではないが、上智大学研究機構と神奈川大学からも貴重な援助を受けた。個人名は一切挙げないが、これらの機関に関係する多くの方々からの献身的な協力がなければ、チョムスキー来日は実現しなかっただろう。ありがとうございました。また、人手不足と不慣れな運営によって思わぬところで数々の不手際があったであろうことも、準備委員会としては充分自覚している。特に、『ジャパン・タイムズ』(二〇一四年二月二二日)に来日直前インタビューが掲載された後には、様々な国の在日大使館からひっきりなしに問い合わせが入り、その対応に準備委員会のほとんどのエネルギーが使われていた時期さえあった。このような状況だったので、結果的にご迷惑をおかけした方々にもこの場を借りてお詫びしたいと思う。

こうしてチョムスキーは二〇一四年三月三日の夜に来日し、二〇一四年三月五日と六日の上智大学における公開講演(ソフィア・レクチャーズ)を中心にして、専門的な統辞理論の講義(慶應義塾大学)や言語脳科学に関するコメンタリー(東京大学)、ディスカッション、政治社会関係のインタビュー、市民グループとの会談、等々を精力的にこなし、三月八日の夜に帰国の途についた。来日中ずっと彼の強烈な知的エネルギーの放射を浴び続けた我々は、チョムスキーが帰国してからしばらくの間、一種呆けたような状態になってしまった。あの圧倒的な存在感はいったいどこから来るのだろう。

本書は、上述のソフィア・レクチャーズ、すなわち、三月五日に行なわれた「言語の構成原理再考」(The Architecture of Language Reconsidered)と三月六日に行なわれた「資本主義的民主制の下で人類は生き残れるか」(Capitalist Democracy and the Prospects for Survival)の二つの講演と質疑応答部分、そして三月四日に本書の編訳者二人がチョムスキーと行なったディスカッション「チョムスキー氏との対話」(A Discussion with Naoki Fukui and Mihoko Zushi)をまとめて一冊の書物にしたものの日本語版である。英語版は、上智大学国際言語情報研究所が刊行している *Sophia Linguistica* No. 64として、本書と前後して出版されるはずである。

本書には英語版にはない論考「ノーム・チョムスキーの思想について」が収録されている。チョムスキーの言語学説に関しては多くの解説が書かれているし、彼の政治社会思想についても——特に二〇〇一年の同時多発テロ以降の言論状況の中で彼の言論活動が日本で注目されるにつれ——たくさんの論説が出ている。ただ、チョムスキーの言語学説と彼の政治社会思想を統一的観点から論じたものは、日本語の文献では未だにほとんど存在しないと言ってよいだろう(英語では、いくつか優れた著作がある)。また、今回のソフィア・レクチャーズは、チョムスキー自身が自分の持つ二つの知的側面を結びつけようとしたものである。こうした状況を考えると、チョムスキーの思想を全体的な視野から捉えようとした論考を本書に収録することも無駄ではないように思われた。本書の編訳者の一人は、チョムスキーの言語学説と政治社会思想を共通の視野のもとに考察する小論考を以前、発表したことがある(福井直樹「ノーム・チョムスキー」『大航海』第28号、一九九九年、104-111頁(『自然科学としての言語学』大修館書店、二〇〇一年に「ノーム・チョムスキー小論」として再録)、および、福井直樹「チョムスキー」『ブリタニカ国際年鑑2003年版』、74-75頁、ブリタニカ・ジャパン、二〇〇三年)。これらの論考で考察した内容も、形を変えて今回の解説に組み込まれている。ちなみに、この解説以外には編訳者による註のようなものは、一切付けなかった。講演においても、またディスカッションでも、あまりに話題が多岐に亘ってしまっていて、註などを付けてもきりがないし効果もないだろうと判断したからである。読者は自らの興味に応じて選択的に読んでいただいてかまわないと思う。

最後に、主催および共催機関以外でお世話になった方々のうち、ほんの数名のお名前だけ挙げさせていただく。翻訳に際しては、大東文化大学の経済学者、古屋核氏に第2講演(「資本主義的民主制の下で人類は生き残れるか」)の訳稿を専門の観点から慎重に検討してもらった。また、当時NHKの理事を務めていた下川雅也氏は、いささか奇妙な問題がチョムスキー来日前に生じそうになったときに、ジャーナリストの立場から有益なアドバイスを与えてくれた。御園一子氏、服部正太氏からも様々な支援をいただいた。これらの方々すべてに深く感謝したい。

二〇一五年九月

編訳者

岩波現代文庫版編訳者あとがき

二十数年前、本書の編訳者のひとりは、すでに次のように述べていた[1]。

…ガウスならぬチョムスキーという、生成文法理論をほとんど独力で創始し、過去四〇年間にわたって常にその第一線で「生成文法の企て」を引っ張ってきた、(他の分野においてもほとんど類をみない)「大英雄」抜きで理論言語学が進まなければならなくなる日が来るのも、そう遠いことではないであろう。…

当時七〇歳になろうとしていたチョムスキーの年齢からして、政治活動は命あるかぎり続けるにしても、高度に抽象的な理論言語学分野での研究活動を第一線で継続するのは、おそらくあと数年程度ではないかと予想したのである。これは、他の科学分野における状況も勘案すれば、ごく常識的な予想であった。

この予想は見事に外れ、チョムスキーはその後も世紀をまたいで活発な研究活動を続け、次々と新たなアイデアを打ち出して多くの論文を執筆していった。本書のもとになっている上智大学での講演・インタビューが行なわれた二〇一四年の前年にも、「投射」概念を構造構築の過程から切り離すことによって併合演算を極限まで単純化し、統辞体の同定は最小探索という(言語固有ではない)一般的メカニズムによってラベル付けを行なうという極めて専門的な提案を行なった論文を出版している(本書収録の「対話」の中でも簡単に触れられている)。しかしながら、来日時、すでに八五歳という高齢であり、我々としても、もうこれが最後の来日になるだろう、研究活動もいつ停止されるかわからないな、という気持ちを抑えることが出来なかった。

この予想もまた、見事に外れた。来日時からはすでに九年、本書単行本出版からも八年経過している。現在チョムスキーは九四歳である。二〇一四年の来日の後も研究活動は衰えを見せず、毎年のように(数多くの政治評論に加えて)数編の言語学、認知科学、哲学関係の論文および書籍を出版し続け、二〇二〇年に近くなると現行のモデルをある意味根本的に改変する動きを始めた。その過程は、欧米のいくつかの大学における集中講義およびその筆記録に記されているが、それらに基づく論文も発表されている。二〇二〇年秋には日本言語学会でオンライン特別講演を行ない、その内容を二〇二一年に言語学会の機関誌である『言語研究』に論文として出版した(2)。この論文では、現代生成文法を貫く根本思想である「極小主義」の要点が極めて簡潔にまとめられ、その思想がガリレオらの近代科学思想とどのように接続されるのか、そして人間言語の進化・発生に関してどのような含意を持つのかなどの重要な論点が提示される。そのうえで、言語理論の最先端に関わる技術的提案がいくつもなされている。

これらの専門的・技術的提案をここで詳しく論じることは出来ないが、人間がもつ「言語機能」(普遍文法)とは、与えられた初期条件を最適な形で(すなわち、最も単純な形で)実現すべく生じたシステムである、とする「極小主義の強いテーゼ」(Strong Minimalist Thesis, SMT)を掲げ、これが満足されるかぎりにおいて、言語現象に対する「真の説明」が得られる——その意味での「真の説明」を常に追究すべきであるとする研究態度が一貫して強調されている。この観点から、最も基本的な演算である併合の(作業空間から作業空間への写像としての)再定式化および併合に対する「最少産出」(Minimal Yield)条件の提案がなされる。そしてこれらに基づいて、コピー形成演算(FormCopy, FC)、マルコフ空所などの新たな演算・概念に基づくコントロール理論の再構成、A移動とA′移動の分離、コピーと反復との区別、等々が論じられる。技術的議論はさらに進み、長年の懸案であった無構造等位接続の分析に関する新たな提案(列形成演算(FormSequence, FSQ)の提案)などが行なわれる。これらは専門的にも非常に興味深い提案であり、これらのアイデアから全く新しい研究方向が生じてくる可能性がある。また、チョムスキーがこの論文で提出した、極小主義の「促進機能」(Enabling Function)という概念は、従来言われてきたいわゆる「実質的極小主義」(substantive minimalism)の初めての具体的な帰結・展開であり、これに基づき普遍文法の内部構造、人間がもつ概念構造の進化・発生などに対しても興味深いアプローチが得られる可能性がある。

言語理論に関わる専門的提案をここで解説するのは困難であるが、こうしていくつか例を挙げただけでも、チョムスキーがこの論文でいかに多くの斬新な(そして深い)アイデアを提出しているかは感じられると思う。一つひとつのアイデアや論点を丁寧に論じて展開していけば軽く一冊のモノグラフになってしまうくらいの内容をこの論文は含んでいる。(そういった作業を、以前のように猛烈な勢いで自ら行なう時間とエネルギーは、さすがにチョムスキーにも、もはや残されていないのだろう。)そして、それらに基づく研究が他の研究者によっていくつもなされ始めている。チョムスキー自身も、すでにこの論文の内容をさらに先に進める形で理論の改訂を行なっている。例えば、右で述べた理論的提案のいくつかをさらに洗練し発展させた"The miracle creed and SMT"(Ms., The University of Arizona/MIT)という論文の原稿が今年(二〇二三年)になってから送られてきた。間違いなく、チョムスキーは現在でも分野の最先端で極めて強い影響力を持つ研究を継続している非常に生産的な現役科学者である。

先に、政治活動は命あるかぎりチョムスキーは続けるだろうと二十数年前に予想したと書いたが、こちらの予想はそのまま当たった。一九六〇年代から激烈な形で始まったチョムスキーの政治活動家としての行動は今世紀になっても、また二〇一四年来日時以降も変わることなく続き、現在に到っている。かつてのように、世界中を飛び回って講演を行なったり、ディスカッション、集会などに参加することは最近では少なく、書き物を別にすればオンラインでの活動が主になっているようだが、これはそもそもコロナ禍で世の中全体がそのようになっていることの反映という面もあるだろう。

政治活動家としてのチョムスキーについて、彼の評伝の著者であるロバート・バースキーがかつて次のように書いたことがある。(3)

…彼はアメリカ政府に異議を唱えることにより、親ソビエトと非難され、また、ボルシェビズムとソビエト政府に異議を唱えることによって、反ソビエトと非難され、またユダヤ人に異議を唱えることによって親アラブと非難され、同様の原理をアラブの行動に適用したことによって反アラブと非難され、イスラエル…に異議を唱えることによって反ユダヤ主義と非難され、西側世界におけるカンボジアに関するプロパガンダ・キャンペーンに異議を唱えることによって親クメール・ルージュと非難され、…検閲を強化する人々に異議を唱えることによって敵(この場合、ナチス)と共謀していると非難されてきた。…

同様の例は、他にいくらでも付け加えることが出来る。「太平洋戦争の真の背景について、真珠湾について、そしてアメリカが日本に対して行なった本土各地への——二度にわたる原爆投下を含む——爆撃の残虐性について、欧米の公式見解と全く異なる諸々の事実を指摘することによって、日本の軍国主義ファシストの側についていると非難され」、「同時多発テロの背景になったアメリカの行状について詳細に指摘することによって、テロリストを擁護する反米主義者と非難され」、等々である(4)。

これらの非難はむろん全く当たらないが、このような反応が出るのは、チョムスキーが常に民衆の側に立ち、権力(どの権力でも)批判を繰り広げることと、彼がもつ道徳原理——すなわち「人は自分が(選挙を通して、あるいは政治活動を行なうことによって)ある程度影響を与えることが出来る政府の行状に関して主に責任を負う」という原理——によるものだろう。アメリカ合衆国市民としてのチョムスキーにとって、自らが主に責任を負うのはアメリカ政府の行状であり、したがって、その批判の矛先も主にアメリカ政府およびその意向を受けたかに見える欧米の大手メディアに向かうことになる。このことがアメリカ政府の「敵」の行状を正当化していることにならないことは、言うまでもない。(事実、チョムスキーはそれらの「敵」も明確に批判している。)

二〇二二年に始まったロシアのプーチン政権によるウクライナ侵攻に関しても、チョムスキーは活発に発言している(ちなみに、チョムスキーの父親はウクライナ、母親はベラルーシ出身の移民である)。かつてベトナム反戦運動を闘ったときなどと完全に一貫した態度で、「この戦争を一刻も早く終わらせるために(他の誰かではなく)我々＝自分(アメリカ合衆国市民)は一体何をしたらよいのか」という観点からプーチンによる侵攻の背景にある要因(NATOの東方拡大、等)、アメリカがこの問題に関して果たしてきた、そして現在でも果たしている役割、いま戦争を終わらせるためには何をしたらよいのか、等について欧米主流メディアがほとんど報じない事実や観点を指摘しながら発信している。ちなみに、本書(39-40頁)にも、ロシアによるクリミア併合に到る動きに関するアメリカの偽善的反応について、そしてそれに対する西側メディアの報道について短い論評がある。このようなスタンスを取るチョムスキーに対して、チョムスキーはプーチンを支持しているという(右に述べた過去の批判と全く同じパターンの)非難が巻き起こり、アメリカで活動しているウクライナ出身の経済学者四名がチョムスキーに公開質問状を送り、チョムスキーがそれに対して直ちに応答するという「騒ぎ」まで生じている。(5)

チョムスキーは「世界で最高齢の現役政治活動家」と言われることが最近多いが、今まで見てきたように、(おそらく)現在、世界最高齢の政治活動家であるだけでなく、(間違いなく)現在、世界最高齢の現役科学者でもある。かつて、チョムスキーにインタビューした辺見庸が、政治活動家としてのチョムスキーに関して畏怖の念と共に思わず漏らした「こんな男、正直、見たことがなかった」[6]という言葉は、科学者としての面も考え合わせると、さらに圧倒的な驚愕の念を伴って——正直、およそ信じがたいという想いと共に——我々の胸に強く迫ってくるのである。

二〇二三年三月

福井直樹
辻子美保子

註

（1）福井直樹(1998)「極小モデルの展開——言語の説明理論をめざして」田窪行則・稲田俊明・中島平三・外池滋生・福井直樹著『生成文法』(岩波講座 言語の科学 第六巻)、岩波書店、二〇九頁。

（2）Chomsky, Noam. (2021) Minimalism: Where are we now, and where can we hope to go,『言語研究』(*Gengo Kenkyu*) 第一六〇号、一—四一頁。

（3）Barsky, Robert. (1997) *Noam Chomsky: A Life of Dissent*. ECW Press, p. 178. [引用は訳書二七七—二七八頁。バースキー著、土屋俊・土屋希和子訳(1998)『ノーム・チョムスキー——学問と政治』産業図書]

（4）前者に関しては、チョムスキーの最も早い時期の論考の一つである Chomsky, Noam. (1967) The revolutionary pacifism of A. J. Muste: On the backgrounds of the Pacific War, *Liberation*, Vol. 12 (September-October 1967) を参照されたい。[Chomsky, Noam. (1969) *American Power and the New Mandarins*. Pantheon, pp. 159–220 に再録。訳書はチョムスキー著、木村雅次・水落一朗・吉田武士訳(1970)『アメリカン・パワーと新官僚』太陽社] 後者については、それによって政治活動家としてのチョムスキーの名前が日本で広く知られることになったという事情もあり、数多くの文献が出ている。例えば、鶴見俊輔監修(2002)『ノーム・チョムスキー』リトル・モアなどを参照。本書中の「ノーム・チョムスキーの思想について」も参照されたい。

（5）興味がある読者は、例えば以下のサイト等をご覧いただきたい。
https://www.counterpunch.org/2022/06/03/the-ukraine-war-chomsky-responds/

（6）辺見庸(2002)『永遠の不服従のために』毎日新聞社、一八五頁。

〈写真撮影〉
久野正和（カバー、ソフィア・レクチャーズ）
田中みどり（チョムスキー氏との対話）
〈英文トランスクリプト作成協力〉
加藤マイケル孝仁
中野真紀子

索　引

欧 字

あ 行

か 行

さ 行

た 行

な 行

は 行

ま 行

や 行

ら 行

わ 行

参考文献

ソフィア・レクチャーズ

Darwin, Charles. 1871. *The Descent of Man, and Selection in Relation to Sex*. J. Murray.［長谷川眞理子訳『人間の進化と性淘汰』(全2冊)，文一総合出版，1999-2000年］

Stiglitz, Joseph. Feb. 6, 2014. Stagnation by Design. *Project Syndicate*.

Tattersall, I. 2012. *Masters of the Planet: The Search for Our Human Origins*. Palgrave MacMillan: New York.［河合信和監訳，大槻敦子訳『ヒトの起源を探して：言語能力と認知能力が現生人類を誕生させた』原書房，2016年］

チョムスキー氏との対話

Baker, Mark C. 2001. *The Atoms of Language: The Mind's Hidden Rules of Grammar*. Basic Books.［郡司隆男訳『言語のレシピ ── 多様性にひそむ普遍性をもとめて』岩波書店，2003年；岩波現代文庫版，2010年］

Chomsky, Noam. 1955. *The Logical Structure of Linguistic Theory*. Harvard/MIT.［序論のみ次の書籍に収載：福井直樹編訳『チョムスキー言語基礎論集』岩波書店，2012年；福井直樹，辻子美保子訳『統辞構造論　付『言語理論の論理構造』序論』岩波文庫，2014年］

Chomsky, Noam. 1956. Three models for the description of language, *I. R. E. Transactions on Information Theory*, IT-2, Proceedings of the Symposium on Information Theory, September 1956, pp. 113-124. Reprinted with corrections in Luce, R. D., R. R. Bush and E. Galanter, eds. 1965. *Readings*

in Mathematical Psychology II. John Wiley & Sons, pp. 105–124.

Chomsky, Noam. 1957. *Syntactic Structures*. Mouton. [勇康雄訳『文法の構造』研究社出版，1963年；福井直樹，辻子美保子訳『統辞構造論　付『言語理論の論理構造』序論』岩波文庫，2014年]

Chomsky, Noam. 1964. *Current Issues in Linguistic Theory*. Mouton. [橋本萬太郎，原田信一訳『現代言語学の基礎』大修館書店，1972年に収載]

Chomsky, Noam. 1965. *Aspects of the Theory of Syntax*. MIT Press. [安井稔訳『文法理論の諸相』研究社，1970年；第1章のみ福井直樹編訳『チョムスキー言語基礎論集』岩波書店，2012年に収載；福井直樹，辻子美保子訳『統辞理論の諸相 方法論序説』岩波文庫，2017年として訳出刊行]

Chomsky, Noam. 1995. *The Minimalist Program*. MIT Press. [外池滋生，大石正幸監訳『ミニマリスト・プログラム』翔泳社，1998年]

Chomsky, Noam. 2013. Problems of projection. *Lingua* 130: 33–49.

Chomsky, N. and M. Halle. 1968. *The Sound Pattern of English*. Harper & Row.

Fodor, J. A., T. G. Bever and M. F. Garrett. 1974. *The Psychology of Language*. McGraw-Hill. [岡部慶三，広井脩，無藤隆訳『心理言語学——生成文法の立場から』誠信書房，1982年]

Fukui, Naoki. 1986. *A Theory of Category Projection and its Applications*. Ph. D. dissertation, MIT. [Revised version published in 1995 as *Theory of Projection in Syntax*. CSLI Publications.]

Fukui, Naoki. 2015. A note on weak vs. strong generation in human language. In Gallego, Á. J. and D. Ott, eds. *50 Years*

Later: Reflections on Chomsky's Aspects. MIT Working Papers in Linguistics (MITWPL), pp. 125–132. [Reprinted in Fukui, Naoki. 2017. *Merge in the Mind-Brain: Essays on Theoretical Linguistics and the Neuroscience of Language*, pp. 119–126. Routledge.]

Gamow, G. 1947. *One, Two, Three... Infinity*. Viking Press. Revised in 1961. [崎川範行訳『1, 2, 3, …無限大』白揚社, 1951；新版, 2004年]

Kingston-Mann, Esther. 1983. *Lenin and the Problem of Marxist Peasant Revolution, 1893–1917*. Oxford University Press.

Luce, R. D., R. R. Bush and E. Galanter, eds. 1963. *The Handbook of Mathematical Psychology II*. John Wiley & Sons.

Mohri, Mehryar and Richard Sproat. 2006. On a common fallacy in computational linguistics. *SKY Journal of Linguistics* 19: 432–439.

Ohta, Shinri, Naoki Fukui and Kuniyoshi L. Sakai. 2013. Syntactic computation in the human brain: the degree of merger as a key factor. *PLoS ONE* 8(2), e56230, 1–16.

Reuland, Eric J. 2011. *Anaphora and Language Design*. MIT Press.

Shanin, Teodor. 1983. *Late Marx and the Russian Road: Marx and "the Peripheries of Capitalism."* Monthly Review Press.

本書は二〇一五年九月に、岩波書店より『我々はどのような生き物なのか――ソフィア・レクチャーズ』として刊行された。このたび「岩波現代文庫」への収録に際し、書名を『我々はどのような生き物なのか――言語と政治をめぐる二講演』とした上で、改めて本文を検討し、相当量の加筆修正を行なうと共に、「岩波現代文庫版編訳者あとがき」を付した。

我々はどのような生き物なのか
—言語と政治をめぐる二講演
ノーム・チョムスキー

2023年5月16日 第1刷発行

編訳者 福井直樹《ふくいなおき》 辻子美保子《づしみほこ》

発行者 坂本政謙

発行所 株式会社 岩波書店
〒101-8002 東京都千代田区一ツ橋 2-5-5
案内 03-5210-4000 営業部 03-5210-4111
https://www.iwanami.co.jp/

印刷・精興社 製本・中永製本

ISBN 978-4-00-600465-1 Printed in Japan

岩波現代文庫創刊二〇年に際して

二一世紀が始まってからすでに二〇年が経とうとしています。この間のグローバル化の急激な進行は世界のあり方を大きく変えました。世界規模で経済や情報の結びつきが強まるとともに、国境を越えた人の移動は日常の光景となり、今やどこに住んでいても、私たちの暮らしは世界中の様々な出来事と無関係ではいられません。しかし、グローバル化の中で否応なくもたらされる「他者」との出会いや交流は、新たな文化や価値観だけではなく、摩擦や衝突、そしてしばしば憎悪までをも生み出しています。グローバル化にともなう副作用は、その恩恵を遥かにこえていると言わざるを得ません。

今私たちに求められているのは、国内、国外にかかわらず、異なる歴史や経験、文化を持つ「他者」と向き合い、よりよい関係を結び直してゆくための想像力、構想力ではないでしょうか。

新世紀の到来を目前にした二〇〇〇年一月に創刊された岩波現代文庫は、この二〇年を通して、哲学や歴史、経済、自然科学から、小説やエッセイ、ルポルタージュにいたるまで幅広いジャンルの書目を刊行してきました。一〇〇〇点を超える書目には、人類が直面してきた様々な課題と、試行錯誤の営みが刻まれています。読書を通した過去の「他者」との出会いから得られる知識や経験は、私たちがよりよい社会を作り上げてゆくために大きな示唆を与えてくれるはずです。

一冊の本が世界を変える大きな力を持つことを信じ、岩波現代文庫はこれからもさらなるラインナップの充実をめざしてゆきます。

（二〇二〇年一月）